CURRENT JAPANESE
INTERCULTURAL COMMUNICATION

CURRENT JAPANESE: INTERCULTURAL COMMUNICATION

by Yoshiko Higurashi, Ph. D.

Associate Professor
San Diego State University

BONJINSHA Co., Ltd.
Tokyo

Printed in Japan
Published by BONJINSHA Co., Ltd.
2F Kōjimachi New Yahiko building,
6-2 Kōjimachi, Chiyoda-ku,
Tokyo 102, Japan
Tel. (03) 472-2240 (business office)
(03) 353-4211 (editorial office)

To my students

CURRENT JAPANESE: INTERCULTURAL COMMUNICATION
現代日本語——異文化間にみるコミュニケーション

TABLE OF CONTENTS

PREFACE

What are the major obstacles faced by college students of foreign languages?

I have been teaching Japanese at the college level in North America for twelve years. Judging from my experience at five universities, the issue is intercultural communication with practical language skills; namely, recognizing and dealing with intercultural differences while learning to use the language as an effective means of communication.

Regardless of the distinction between state and private institutions, students at intermediate and advanced levels who have finished basic training in grammar, pronunciation, and basic kanji, can be categorized into the following groups:

1. Those who are familiar with modern Japanese society but cannot discuss it in Japanese.
2. Those who have misconceptions about Japan. These misconceptions could be good or bad in terms of images of Japan, but are certainly outdated. Some of these students can communicate in Japanese, others cannot.
3. Those who have relatively high competence in language skills but apply American criteria of evaluation to phenomena which appear foreign to them. They are highly likely to become opinionated.
4. Those who are genuinely interested in Zen, Haiku, and art and who sometimes ask amazing questions. They, however, tend to see Japan only through these limited areas.

In other words, there are few students with strong language skills who are interested and knowledgeable about the role played by cultural heritage in shaping the people and society of modern Japan.

When it is realized that there are very few texts available for intermediate and advanced study, and that most of them overemphasize translation or are outdated, the above problems noted among students should be attributed to teachers of Japanese.

Some textbooks overemphasize translation. Often students experience difficulties in developing their language ability with translation-oriented textbooks. In the translation approach, Japanese is the object to be translated into English. Students tend to get carried away trying to find the English equivalent of what was written in Japanese. They are not encouraged to use Japanese as the main means of exchanging ideas and communicating. The result is that the students are knowledgeable about Japan and Japanese society but cannot effectively communicate with people from Japan.

Many textbooks have become outdated. They contain essays based on events which may have occurred twenty to thirty years ago. Students cannot gain a sense of currentness when studying events which occurred before they were born!

Of course there are English textbooks on Japanese culture. However, culturally important concepts are often treated as isolated topics. For instance, Buddhism, art, and forms of Haiku are explained in great detail, but it is often not made clear how these aspects of a rich cultural heritage affect modern Japanese society. Students can easily draw wrong conclusions.

The following points summarize the problems which can result from the traditional approach to teaching intermediate and advanced college students of Japanese:

1. Translation-oriented textbooks keep students from developing their language skills for the purpose of communication.
2. Outdated material deprives students of a sense of currentness and presents an inaccurate picture of modern Japan.
3. Cultural topics introduced in isolation are difficult to integrate with the concepts of modern Japanese society.

In order to address these problems, I have developed *Current Japanese: Intercultural Communication.* In the process of developing the manuscript, I have used the following principles and have found that they are very effective in strengthening communication skills. I would recommend:

1. Students be required, as a general rule, to converse in Japanese only.
2. The main textbook be written in Japanese.
3. Students be required to use a Japanese-Japanese dictionary and Kan-Wa Dictionary (both specified as "elementary" or *Shogaku*) in the classroom and for classroom preparation.
4. Students be required to define words, to use words in sentences, and to converse and argue in Japanese.
5. Updated information about Japanese society be presented.
6. Introduction of cultural concepts in isolation be avoided. Life-like situations should be created to illustrate intercultural differences for discussion.

Stories are the author's original and written in such a way that language and culture are introduced in a systematic and graded manner. Main characters are American students who have just moved to Japan after taking elementary Japanese in college. Based upon the problems they encounter in Japan, ten life-like situations were created and assigned to ten lessons. Each lesson is devoted to one major topic. Essential topics discussed in the theory of intercultural communication are expected to be covered.

Each lesson consists of the following sections:

1.   Main Story

The situation is explained and the issue is raised in a written style in the first half, and the problem is solved in a series of conversations in the second half (except Lessons 4 and 10). It is expected that students will gain the basics for composition from the former and conversational ability from the later.

2.   List of Vocabulary with English Translation

Since the main purpose is to learn how to explain in Japanese, English translation is provided for vocabulary. Students are expected to experience little or no difficulty in comprehending the main story with the help of this list.

3. Kanji Sheets

The text aims at the acquisition and reproduction of *Kyoiku Kanji*—996 characters introduced from the first grade to the sixth grade in elementary schools in Japan. Since it is assumed that 76 kanji introduced at the first-grade level were studied in an elementary Japanese course, the remaining 920 characters are introduced in ten lessons. Therefore, the number of kanji introduced in each lesson is approximately 92.

The new kanji of each lesson is printed in boldface type in the main story. In the kanji sheets, radical, the grade at which kanji is introduced in Japan, translation, *on*-reading in katakana, and *kun*-reading in hiragana are provided.

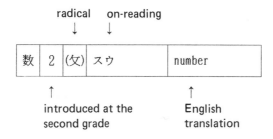

After Lesson 10 there is a section called *Kanji List*. 996 characters are listed according to the grade introduced in elementary school in Japan. A list of the 76 kanji for first graders is given first. Kanji sheets on these 76 characters are also provided for those who wish to review. Then the remaining 920 characters appear according to the grade and are listed in a-i-u-e-o order. The number which appears below kanji in this list is the lesson in which this character is introduced as new kanji in the text.

4. Exercise

4-1 Word Definition

Students are required to define words in Japanese on their own or by using an elementary Japanese-Japanese dictionary and/or Kan-Wa dictionary. The words selected are those listed in the dictionary as "words of which elementary students must know the meaning as well as usage," and their definitions are judged by the author to be comprehensible by students at their present level of study.

4-2 Idiomatic Expressions/Grammar Patterns

Ten useful idiomatic expressions are selected in each lesson. Three examples are provided for each expression. Students are expected to make their own sentences after studying the example provided.

4-3 Related Matters and Questions

Additional information is provided for classroom use. Questions about cultural values are presented based upon the readings and conversational activities of each lesson. Discussions should be stimulated and students should be encouraged to give interpretations, in Japanese, of the presented aspect of Japanese culture *in comparison with their own cultures*. The author wishes to emphasize that because of this phase of the text, the audience should not be limited to students in the United States.

4-4   Radicals and Kanji Characters

Ten important radicals are selected in each lesson. Students are expected to study the name and meaning of each radical and to write a couple of characters which contain the radical in question.

I have been using this text as San Diego State University for four years. Students' responses are overwhelmingly positive. Of course it is not easy to stop their habit of translating everything into English before understanding it. However, teachers must be patient enough to work hard until students begin experiencing the joy of expressing themselves in Japanese with what they have already learned. The outcome of this text is 1) remarkable improvement of communication skills, 2) the development of a warmer attitude toward people with different cultural backgrounds, and 3) wider perspectives on the world.

Students claim that they experience life in Japan vicariously because they can identify with the main characters in the text. And they report that they have learned the following:

1.   What is considered appropriate in one culture is not necessarily given the same evaluation in another.

2.   When faced with uneasy situations, one should not make immediate judgments or respond emotionally.

3.   It is desirable to develop a habit of considering the cultural values operating in a given situation.

In this text, the author's twelve years of teaching experience and her students' four years of responses are condensed. The text was revised whenever comments were made by the students, and master tapes in the Foreign Language Laboratory were revised accordingly. The author is grateful to her students for using the draft version of this text with great patience and for providing constructive comments. The author wishes to express her deepest gratitude to them and dedicates this text to them.

San Diego, California   Yoshiko Higurashi
Summer, 1987

序にかえて

　外国語を学習する上での最大の問題点は、何であろうか。過去十二年に渡って、北米の大学五校で日本語教育に携わる機会を得たが、この経験を基に判断すると、語学力の伴った異文化理解が最大の焦点になると言える。

　州立・私立の如何にかかわらず、文法・発音・漢字など、基礎訓練の終了した中・上級レベルの学生は、大別して次のグループに分けることができる。

　一、日本の現代社会事情に精通しているが、英語でしか討論できない者。

　二、良きにつけ悪しきにつけ、時代錯誤も甚だしい幻想を抱いている者

　　　—— この中には、日本語で討論できる者とできない者あり。

　三、日本語能力は結構あるが、アメリカ的見方でしか日本を見られず、独断と偏見の塊になりかねない者。

　四、禅・俳句・古美術への造詣が深く、日本人でも舌を巻くような質問をするが、このような分野からしか日本を眺められない者。

つまり、語学力がある上、古い歴史や伝統文化が、現代の日本人の考え方・判断力・行動様式をどのように規定しているかという点に興味を示し、かつ理解している学生は、ごく少数しかいないのである。

　中・上級レベル向け教材の絶対的不足や、この数少ない教材も翻訳中心であったり、内容が古すぎたりすることを考えあわせると、これは完全に教える側の責任であると言わざるを得ない。

　翻訳に重きを置くと、学生は日本語をコミュニケーションの手段として使うことを忘れ、英語にするとどのような意味になるかということにばかり気をとられがちになる。資料が古かったり、三十年も前に起きた出来事を基にした随筆しか載っていない教材の場合、現代の正しい姿が伝えられない上、学生も今現在の日本のことを勉強しているという実感が持てず、興味が持続できない。更に、禅・俳句等の伝

統文化が孤立したテーマとして紹介された場合、この豊かな伝統文化がどのように現代日本社会に影響を及ぼしているかという点まで理解するのは難しい。

　日本語運用能力を高めつつ、日本の文化・社会のあり方を規定している価値基準を理解すること —— これが、日本語習得上一番の障碍と言えよう。

　この問題の解決の一助となるべく、この教材は執筆された。対象は大学向け初級教材（Soga&Matsumoto, Foundations of Japanese Language；Jordan, Beginning Japanese parts 1 & 2 ； Young&Nakajima, Learn Japanese vols. 1 − 4 など）を終了した学生で、平仮名・片仮名及び日本の小学校一年で導入される漢字を学習済みと仮定した。アメリカの大学で初級レベルの日本語を勉強してから来日したアメリカ人留学生を中心人物に設定し、彼等が日本で経験する様々な問題を十の物語にまとめ、十課に配した。この十課で、異文化コミュニケーション理論で取り上げられる分野をすべて網羅するよう心がけた。物語はすべて著者のオリジナルであり書き下ろしである。

　語学運用能力をつける為、教室内での使用言語を日本語だけとすることを原則とした。予習ないし教室内で必要な辞書として、小学レベルの国語辞典と漢和辞典を指定した。作文の際の自宅学習用として、日本で中学生向けに編集された和英辞典と英和辞典を勧めた。外国人学習者用の辞書（和英・英和）を指定しない理由は、見出し語や日本語訳が日本語で書かれていないからである。ローマ字で表記された見出し語が、アルファベット順に並んでいては、何の為に英語的な思考法を排除しているのか分からない。また、せっかく見つけた日本語訳がローマ字でしか出ていない場合、それをどう平仮名や漢字で表記するか調べねばならず、二重手間である。

　学習者に理解できる程度の日本語で書かれているという理由で、小学国語辞典・小学漢和辞典・初級和英辞典・初級英和辞典の使用を勧めている。

　各課は次の項から成り立っている。

一、本文

　　前半を筆記体による問題提起と情況説明とし、後半を会話体による問題解決となるよう心掛けた（第四課と第十課を除く）。前半から作文の基礎を習得してもらい、後半から会話力をつけてもらうのが狙いである。

二、語彙（和英対訳表）

　　日本語を日本語で説明するのが目的であるから、語彙に英訳をつけた。この項を手引に本文を読めば、全体を難なく英訳できるようにしてある。

三、新出漢字

　　本著は教育漢字 —— 小学校一年から六年までの間に導入される 996字——の習得を目標にしている。一年で導入される76字は学習済みと仮定するので、残りの 920字を十課で導入する。従って，各課で学習する漢字は約92である。

　　各課の新出漢字は、本文の中で太字で印刷されている。新出漢字の項には、部首・導入学年・英訳、そして音読みを片仮名で訓読みを平仮名で表記した。

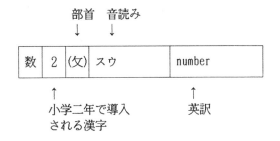

　　十課の後に「漢字リスト」という項を設けた。まず、小学一年で導入される76字を表記し、復習を望む学生用に、部首・英訳・音読み・訓読みも付記した。そして、二年から六年の各学年で導入される漢字のリストを作製した。各漢字の真下にある数字は、本著で新出漢字として扱れている課を表す。

四、練習

四一一、単語説明

　　主に国語辞典を使って意味を調べさせる。選択した単語は、小学国語辞典

の中で「意味や使い方をどうしても知っている必要のあることば」と指定された。

れたものであり、かつ、その定義が学生に理解できる程度のものである。

(↔) は反意語を示す。

四一二、短文練習

　　各課で慣用表現を十ずつ選び、例文を三つずつ付け加えた。例に倣って、自分なりの文を作らせるのが目的である。

四一三、関連事項と内容質問

　　本文で提起された問題についての内容質問である。ここでの題材を基に様々な方面への応用も可能である。

四一四、部首と漢字

　　各課で主要な部首を十ずつ選択した。部首の名前と意味を学習した後、既習の漢字の中から、該当する部首の使われている漢字をいくつか挙げさせるのが目的である。

　本著をサンディエゴ州立大学で使い始めて四年目が終了したが、なかなか好評のようである。無論、英語で考える習慣を捨てさせるのは容易なことではない。しかし、習った範囲の日本語で、新しい言葉を説明したり自分の意見を発表したりする喜びを知ってもらうまでは、教える側も粘らなくてはけいない。その甲斐あってか、学生の日本語能力も格段に向上したし、異なる文化で育った人間に対する態度も変わってきたようである。

　本著を通して下記の点を学生は擬似体験すると言う。

一、アメリカでは適切と思われていることも、外の文化の中では必ずしも同様の
　　評価を与えられるとは限らない。

二、何か不可解なことがあっても、即座に判断したり感情的に反応してはいけな
　　い。

三、表面に現れた現象の裏にある文化背景を考える余裕と習慣を持つのが望まし

い。

　本著には、著者の十二年に渡る体験と、学生側からの四年分の反応が凝縮されて
いる。学生から質問やコメントがある度に加筆修正し、現在の姿に至っている。忍
耐強く本著の下書き版を使ってくれた学生達に、感謝の意を表するとともに、本著
を献じたい。

1987年夏

カリフォルニア州

サンディエゴ

日暮嘉子

学習と指導の手引き

　本教材をより効果的にお使い頂く為に、若干の説明と指導上有益であると思われる点を記してみたい。

　各課は大別して二つに分けることができる。前半が本文・語彙和英対訳表・新出漢字一覧、後半が練習問題であり、これが語彙説明・短文練習・内容質問・部首と漢字に分かれている。これまでの経験によると、「時間を十分かけて勉強した」との印象を学生に与えつつ一課を終了するのに、平均して約十二時間かかっている。試験及び補充活動（その課のテーマに関連した題材を扱っているビデオテープやスライドの鑑賞）を計算に入れると、一課に大体十四時間から十五時間かかることになる。

　従って、本教材は一学年の間に、週三時間授業で第六課まで、週四時間授業で第八課まで、週五時間授業で第十課まで無理なく完了できる。しかし、これは一応の目安であり、学生の質や教師の指導方法によっては、週四時間授業で第十課まで終了することも大いに可能である。

　学生は新しい課に入ったら、まず、語彙和英対訳表を手引きにしながら本文を一読する。語彙はかなり詳細に掲げてあるので、分からない単語に出くわすことはまずない。この段階で、本文の主旨が英語で容易に把握できるはずである。

　次に、予習してくるよう指示された個所を丁寧に読む。読み方の分からない漢字は、和英対訳表を参照する。読み方を学習した後、本文に自分で振り仮名を振ってよい。眺めて頭の中で読むのではなく、実際に声を出して読み、一定の速度でスムーズに読めるようになるまで音読を続ける。

　次に、国語辞典を使って、語彙説明の項で指定されている語で、予習すべきページに載っている単語を調べる。英語で意味の分かっている語を日本語で説明する練習である。慣れてき、かつ、語彙力も向上してくれば、字引を引くまでもなく、習

った範囲の日本語で定義することが可能になる。しかし、初めの数課を学習するうちは、一語一語丁寧に字引を引き、出ている説明の中で最も適切と思われるものを、そっくりそのまま筆写する。大半が「〜すること」「〜しているようす・ありさま」で終わっていることに気付くはずである。定義説明の手法を習得するのは、あまり時間がかからない。語彙説明をするついでに、反意語・同意語も併せて学習する。

次に、短文練習の項に移る。各慣用表現には本文での記載ページが記してあるので、まず本文でどのように使われているか検討する。それから、例文に倣って、自分なりの分を作ってみる。例文で使われている文法事項は、既に学習済みのものばかりである。従って、構文がよく理解できない場合は、以前使用した初級教材の該当個所を復習するとよい。

太字で印刷されている漢字は、新出漢字の項の説明を熟読した後、筆記練習する。太字で印刷されていない漢字で判読不可能な漢字があるのは、既習にもかかわらず思い出せない場合か、使った初級教材でたまたま導入されなかった場合かのどちらかである。前者の場合は、復習すれば解決する問題である。しかし、後者の場合は、初級教材で学習済みと仮定された漢字は、小学校一年で導入される76字に限定されているので、巻末のリストを参考に学習してほしい。なお、第一課を始める前に、教師が率先してこの76字の復習なり導入なりにあたるのも、この種の問題を避ける意味で有効であろう。

各課の最後に出てくる部首と漢字の項では、漢和辞典を使って、部首の名前と意味を学習する。そして、その部首の使われている漢字の中から、既習のものを二・三書き出す。ここでは、部首を基に漢字を整理する方法を学習する。

以上が学生の自宅学習方法である。

次に、授業中の指導方法であるが、新しい課の第一時間目に、教師が本文を通して読んで聞かせるとよい。そして、予習してくるように指定した個所を、学生一人

に一文の割で当てて読ませる。その際、当てられた文に出てくる語彙の説明はもちろん、慣用表現の例文も担当させる。慣用表現に伴った文法事項は、必要と判断された場合随時復習するのが望ましい。また、短文練習では学生個人個人の個性が顕著に現れるので、全員に発表させ、「自分のことを日本語で表現したい」という意志を尊重し、勉学を励ます努力をする。

　一つの段落が終わった時点で、「いつ」「どこで」「誰が」「何を」「どうした」「なぜ」などを用いて内容質問をする。また「これ」「それ」「あれ」は何を指しているか確認する。その後で、段落の内容を要約する。既出の単語の中から重要な語を選び出し、それを繋げて一文で要約する練習をする。ここで大切な点は、教師が忍耐強く日本語のみ使用する点である。英語で説明すれば問題解決も早いが、それでは、日本語をコミュニケーションの手段とするとの建て前を教師自ら破っていることになる。学生が理解できる範囲の言葉を選びつつ、手を替え品を替えて説明にあたってほしい。学生も、英語による安易な問題解決に走らず、日本語による解説を断固主張してほしい。

　最終段落が終了したら、内容質問の項に出ている質問を基に討論に入る。質問は、その課の本文で導入された語彙と構文を使用しながら答えられるよう工夫してあるので、新たに英和辞典や和英辞典を引く必要はない。この項の質問事項は、一応の基準として考えられたものである。教師はそれぞれの置かれた状況に応じて、質問を補足することが可能である。

　異文化理解に関する限り、何が絶対に正しくて何が絶対に正しくない、といった形の解答は出ないはずである。限定された状況の中で、どうするのがより適切であるかといった解答が、学生の価値基準に基づいて出されるのが普通である。個人としてどう考えるかが非常に重要な役割を占める。この意味でも、自分の意見を日本語という手段を用いて明確に表現するよう訓練づけてほしい。

　すべての項を終了した後で、学生の要望があれば、本文を英訳するのも悪くない。

それまで、すべてを日本語で処理してきたので、欲求不満に陥っていたり、奥歯に何かが挟まっているようなむず痒さを感じていたりする可能性が高いからである。学習内容を再確認する意味で翻訳をするのであるから、明瞭簡潔に一時間で済ませる。この時、ついでに、英語による内容説明を補足する形でしてもよい。ここで肝要なのは、「どうせ後で英語で説明してもらえるから、今は理解できなくても質問しなくてよい」という雰囲気を学生の間に作らせないことである。

なお、語彙説明がすべての学生に理解できているか確認を得る為に、担当を決めて板書させ説明させるのも一法である。定義説明が難解な場合、教師が噛み砕いて易しく言い換えてやり、板書する。慣れるまでは、この項にじっくり時間をかけてほしい。

各時間の初めに、前の授業で扱った範囲の漢字の書き取りをしたり、漢字のフラッシュカードを作製して視覚面での記憶力の保持に努めるようなことは、誰もがやっていることであろう。漢字の書き取り練習は自宅学習としてあるが、筆順のよく分からない字や込み入っている字は、その都度教室内で取り上げるとよい。一課に導入された新出漢字のカードをきって順不同にし、何枚かずつ学生に渡し、即興で何か文章を作らせるのもおもしろい。

本教材では文体の習得と作文力の向上も心掛けているので、各課に最低二回は作文を宿題に出してほしい。一つは本文の要約で、もう一つは、内容に関連した題を設定する。後者では、自宅学習用に指定された英和辞典と和英辞典を引いて、自分なりの意見や自国の文化について書く練習をする。

各課の総仕上げともいうべき試験の直後に、語彙定義説明の項以降すべての項の解答（学生が各自ノートに筆記したもの）を提出させる。この時、文法上の間違いをしっかり直し、漢字の字形も調べる。

なお、作文は一回目の添削の後で清書させ二回提出させるようにすると、学生も直された個所に細心の注意を払うようになり、効果があがる。

最後に、各課の狙いを述べてみたい。第一課は問題提起の課である。日米双方の文化の代表ともいえる年賀状とクリスマスカードを例にとって、こちらではよかれと思ってしたことでも、違う文化の人間には悪くとられる可能性があること、また、何と非常識なことと思われることを異なる文化から来た人間がしたとしても、その人にとっては常識の範疇に属することをしている可能性があること —— これ等の点が理解できれば、異文化理解の大きな第一歩を踏み出したと言えよう。

第二課は、言語によるコミュニケーションのギャップを扱っている。ここでは、一語一語翻訳して意志疎通が可能なことと不可能なことがあることを知る。これは、単語の包括する意味範囲の差から起こる場合と、句のレベルや文章のレベルで意味するものに差異がある為に起こる場合があることがわかる。更に、会話の大原則とも言うべき「必要以上の情報を話し手は聞き手に与えない」ことを学習するであろうし、どこまでを必要な情報と判断するかは、その言語の持つ文化背景によるものであること知るであろう。

第三課では、日本人にとっても決して容易とは言えない敬語表現を取り上げている。ここでのポイントは、尊敬語・謙譲語・丁寧語の総復習ではなく、同じ人間のことを話す時でも、身内扱いするか外部の人間扱いするかによって、謙譲語を使ったり、尊敬語を使ったりする点である。いつ身内扱いしていつ外部の人間扱いするか、判断し分けられるようになるのが目標である。

第四課では、表面上は非常に西洋化している日本の現代生活事情を扱っている。日本人は着物を着て人力車に乗っているという幻想を抱いている外国人は、今では少数派になっていると思われるが、日本の1980年代の生活がこれ程西洋化されていると想像できる外国人も少ないであろう。訪日前に抱いていた日本のイメージがほぼ完全に覆えされる為、訪日間もない外国人は、日本も西洋と全く変わらないと錯覚しがちである。

しかし、よく観察すれば、西洋のものはそのまま日本人の生活の中に入りこんで

いるのではなく、日本の心と技術で改良されてから受け入れられていることに気付くであろう。また、西欧化された中にも、日本の伝統が力強く息づいているのが感じられるであろう。表面は如何に西洋化されていようとも、二千七百年余りの歴史を持つ大和民族の文化は、根強く生き脈打っているのである。

第五課では、女性と家庭を題材にしている。核家族化が進んでも、家庭電気器具が普及して家事に取られる時間が激減しても、「女性は家を守り家族の世話をするもの」との考え方は、微動だにしない。この考え方は、昨今のキャリア・ウーマンの間にも浸透している。

ウーマンリブの台頭や「女性は女である前に一個の人間である」との思想の前に、時として自信喪失し、時として苛立ちながらも、やはり家庭を第一に優先して生活している日本女性。その健気な姿が浮き彫りにされている。

なお、日本の主婦が一家の大蔵省として財布のひもを握り家庭内で君臨できる点は、注目に値するだろう。

大変なのは主婦ばかりではない。サラリーマンである夫も、多忙な毎日を送り神経をすり減らしている。第六課では、勤労は美徳とする考え方、更に、会社に忠誠を尽くすことをよしとする美意識を扱っている。長期休暇がおいそれと取れないのは、仕事に不熱心との印象を与えたくないからである。接待ゴルフだ付き合いマージャンだと帰宅が遅くなったり週末いなかったりするのは、決して家庭を蔑ろにしているわけではなく、仕事の一部としてなされているのが理解できるであろう。「休みを取るのも実力のうち」といった考え方は、新人類のものであり、働き盛りのサラリーマンには、理解できても実現不可能なのである。

男の本懐は仕事にありとの考え方は根強く、家庭側もそんな多忙を極める父親を支援する体制を整えている。家庭内では存在価値すら薄く見える父親であるが、実際の決定権はまだまだ夫の手に委ねられている点も学習する。この課は表の読み方を勉強する良い機会でもある。

第七課は、教育の占める価値を取り上げている。「うさぎ小屋」と称される小規模な家屋に居住せざるを得ない日本人は、子供に遺産として残してやれるものは教育以外にないと考えている。また、天然資源が極端に乏しい為、政府も国の財産は優秀な人材と信じている。頭脳と知性の開発が如何に尊重されているか、具体例を見ながら理解する。子供の教育には、親や学校レベルのみならず、社会をあげて夢中になっているのが分かるであろう。

　第八課では、第二課で扱われたものと正反対の言語以外の方法によるコミュニケーションのギャップを探る。時間と空間の使い方、体の動かし方、笑いの使い方、そして相づちの打ち方に見る差異を学習する。

　第九課では、日本を日本たらしめている地理的環境を扱っている。日本の文化と文学をこの上なく豊かにしている四季の顕著な変化はなぜ起こるのか、また、日本人の住宅は何故「うさぎ小屋」と呼ばれる程狭くならざるを得ないのかが解明される。西欧社会では、四季をコントロールし、年間を通して一定の室温を保ちつつ快適に生活するのが文明と考えられる。しかし、日本では、四季をそのまま受け入れ、季節の変化に従って生活様式を変化させている。この生活文化の差にも興味を示してほしい。

　第十課は総まとめの課である。第九課までに取り上げられなかった文化差異が幾つか扱われている。国家意識の表現方法や動物の生命の尊重のし方の外、赤ちょうちんやカラオケでの日本人独特のコミュニケーション手段に注目する。殊に、アルコールに対する日米社会の許容度の差は、討論の良い材料になるであろう。

　しかし、この課で重要な点は、自国の文化に精通していつつ、他国の文化にも順応できかつその文化価値を尊重できることの大切さを認識することである。自分を形づくってきたもろもろの文化背景や自分らしさを失うことなく、二つの文化の間を行き来できることの大切さ、と言い換えてもよい。過去十年余り「国際人」「国際的」「インターナショナル」といった言い方が乱雑に使われすぎてきたきらいが

ある。本教材を終えるにあたって、真の国際人とは一体何を意味するのか考察して

総まとめとする。

——————————————————— ○ ———————————————————

　本文の表記法に関しては、原則として「朝日新聞の用語の手びき」（1981）に従

った。漢字表記のうち、常用漢字でも人名用漢字（法務省公表）でもない漢字で使

用されているものは、下記の通りである。

　　1．噌（例．味噌汁）　　　5．韓（例．韓国）

　　2．誰　　　　　　　　　　6．阪（例．大阪）

　　3．柿　　　　　　　　　　7．旺（例．旺盛）

　　4．餞（例．餞別）

ACKNOWLEDGEMENTS

I wish to express my deepest gratitude to my students, who have provided valuable comments and suggestions after using earlier versions of this textbook.

I would also wish to express my thanks to Ms. Pat Coffey and Dr. Georgia Villaflor for proof-reading the English translation in the section of vocabulary: Ms. Coffey reviewed the first six lessons and Dr. Villaflor the remaining four. My warm gratitude also goes to Ms. Elaine Estwick who reviewed and typed the preface for me.

Finally, I wish to thank Mr. Mitsuru Kato and Ms. Seiko Akimoto, my capable editors at BONJINSHA Co., Ltd. Without their magnificent work, this book would not have reached its present polished form.

LESSON 1　クリスマスカードと年賀状

郵便はがき

1 3 5 - □□

東京都江東区東陽町
五ー二ー七

田中　明　様

1 6 0

抽せん日 1月15日 お年玉のお渡し 1月20日—7月19日
番号部分を切り取らずに郵便局へお持ちください。

昭和63年
お年玉

NIPPON 日本郵便
年賀

あけまして
おめでとう
ございます

昭和六十三年　元旦

昨年はいろいろとお世話になり
ありがとうございました
今年もよろしくお願いいたします

東京都　新宿区坂町二十七

中村和子

　アメリカ人のジョン・スミスは、数カ月前に東京に来た。日本の大学で建築学を勉強するためである。

　アメリカの大学で二年ほど日本語を取ったので、ひらがなやかたかなはもちろん、漢字も基本的なものなら、大体読み書きできる。ジョンの友人の中には、家庭滞在をしている者もいるが、ジョンは鈴木一男という学生と一緒にアパートを借りている。ジョンが国際部の学生課にアパートのことを聞きに行った時、一男がたまたま「アメリカ人の同居人求む」の張り紙を張りに来ていた。一男の英語はあまり上手ではなかったが、それでもジョンの日本語よりずっとましだったので、その時二人は英語で話した。

　話を聞いたりアパートを見せてもらったりしているうちに、だんだん気に入ってきた。そこで、家賃・光熱費・水道代・食費そして電話代の半分負担という条件で、同居人になることにした。

　それから二カ月たった十二月の初め。大学は冬休みに入った。一男は故郷の青森へ帰ってしまった。日本では、キリスト教徒は一パーセントしかいず、大半が仏教徒である。従って、アメリカやヨーロッパでいうクリスマスはあまり見られず、クリスマスは、もっぱらデパートの広告に踊らされてプレゼントやケーキを買う時期と考えてよい。その証拠には、十二月二十五日は祭日ではない。この休みは、「冬休み」とか「正月休み」とか呼ばれ、「クリスマス休み」とか「クリスマス休暇」という呼び方をしない。

　さて、アメリカにいる家族や友達にクリスマスカードを書いているうちに、ジョンは今までお世話になった日本人にも、クリスマスカードを送りたくなった。せっかく日本に来て日本語を使って日本の建築学を勉強しているのだから、「郷に入っては郷に従え」のことわざどおり、日本人には年賀状を送ることにした。

　年賀状には普通その年の干支の絵が描いてあり、そのそばに「明けましておめでとうございます」とか「新年おめでとうございます」とか書けばよい

1

5

10

15

20

25

1 　から簡単である。

　　一月一日の元旦よりもだいぶ前に年賀状が着くように、十二月の十五日ご

ろ出しておいた。しかし、だれからもお返しの年賀状は年内には来なかった。

驚いたことに、一月に入ってから返事が来た。そして、さらに驚いたことに

5 は、返事の中には一月の十日過ぎに着いたものがあった。

　　ジョンは建築学の主任教授の黒川先生にも年賀状を出した。先生と先生の家

族が喜ぶだろうと思ったからだった。一月の十日ごろ大学が始まり、大学の

キャンパスで先生に会った。先生からは返事をもらわなかったので、年賀状

がちゃんと届いたかどうかたずねてみた。先生は変な顔をしてしばらく黙っ

10 ていたが、口を開くとこう言った。

　　先　生　君の年賀状は、十二月に着きました。

　　ジョン　それはよかったです。一月一日よりも前に着いて。

　　先　生　？

　　ジョン　？？

15 　先　生　君は多分知らなかったのでしょう。年賀状はお正月に来るものなの

　　　　　　です。二日でも三日でもいいのですが、元旦に着くのが一番いいの

　　　　　　です。

　　ジョン　ええ、先生、何ですって。一月一日よりも前ではなくて、一月一日

　　　　　　かその後でいいのですか。

20 　先　生　「後でいいのですか」ではなくて、後でなくてはいけないのですよ。

　　ジョン　でも、先生、一月一日は祭日ですね。どうやって一月一日に年賀状

　　　　　　が配達されるようにするのですか。

　　先　生　十二月に入ったら、郵便局へ行ってごらんなさい。「年賀状は××

　　　　　　日までに出しましょう」というポスターが、張ってありますよ。普

25 　　　　　通は、大体二十二日ごろまでに出すことになっています。年賀状の

表に「年賀」と赤い字で書けば、郵便局で取っておいてくれるのです。そして、一月一日に外の年賀状と一緒に配達してくれるのです。

ジョン　「年賀」と書いておけばよかったんですね。先生、ぼくの年賀状が十二月中に着いて、どんな感じがしたのでしょうか。

先　生　ええ、まあ、もういいじゃないですか。済んだことですから。しかも、君は外人なのですから。　　5

ジョン　先生、教えて下さい。外人だからといって、特別扱いしないで下さい。せっかく日本に来たのですから、日本のことをよく勉強したいのです。耳の痛いことも聞かなければいけないと思います。ぜひ教えて下さい。　　10

先　生　そうですか。それでは、お話ししましょう。年賀状はお正月に来るものなので、十二月中にもらうと少し変な感じがするのです。どうして「年賀」と書くのを忘れたのだろう、と考えるわけです。まあ、忙しかったのでしょうが、少し注意が足りないと感じるわけです。

ジョン　先生、年賀状の返事は、いつ書くのですか。　　15

先　生　一月の初めに年賀状が来ますから、なるべく早く返事を書くのがいいのです。「鏡開き」といって、お正月のお供えのもちを食べるのが十一日ですから、このころまでに返事を書けばよいでしょう。

ジョン　十日も返事を書く時間があるのですか。ゆっくりできていいですね。でも、この十日の間に返事を書かなかったら、どうなりますか。　　20

先　生　とても失礼になりますから、必ず返事を出すようにして下さい。もし、返事を書く前にその人に会ったら、「年賀状ありがとうございました」とお礼を言って済ましてもいいですよ。

ジョン　はい、なるべく早く返事を出すようにします。今日は、いろいろとありがとうございました。　　25

■ 語彙

L. 1−2 (p. 2)

数カ月	a few months	行く	to go
前	before	～する時	when...
東京	Tokyo	たまたま	by chance
来る	to come	同居	living together
建築学	architecture	求む	to search for
勉強	study	張り紙	flyer, poster
～ほど	approximately...	張る	to apply, to paste
日本語	Japanese	英語	English
取る	to take	上手	skillful, good at
もちろん	of course	まし	better
漢字	kanji	話す	to speak
基本的	fundamental	見せる	to show
大体	for the most part	もらう	to receive
友人	friend	だんだん	gradually
家庭	home	気に入る	to like
滞在	stay	家賃	rent
者	person	～賃	expense for...
借りる	to rent	光熱費	gas and electricity
国際	international	～費	expense for..., cost of...
～部	division of...	水道	water supply
学生	student	～代	fee for...
～課	office of...	食費	food expenses
聞く	to ask		

でんわ 電話	telephone	かぞく 家族	family
はんぶん 半分	half	ともだち 友達	friend
ふたん 負担	share in the expenses	いま 今まで	until now
じょうけん 条件	condition	せわ 世話	care
はじ 初め	beginning	おく 送る	to send
ふゆ 冬	winter	せっかく	with (much) trouble
やす 休み	vacation	つか 使う	to use
こきょう 故郷	home(town)	ごう 郷	country
あおもり 青森	Aomori(prefecture)	したが 従う	to follow
かえ 帰る	to return	ことわざ	proverb
きょうと キリスト教徒	Christian	ねんが じょう 年賀状	New Year's card
たいはん 大半	mostly	ふつう 普通	usual, general
ぶっきょう 仏教	Buddhism	えと 干支	sexagenary cycle
したが 従って	therefore	え 絵	picture
もっぱら	soley, exclusively	えが 描く	to draw
こうこく 広告	advertisement	そば	side
おど 踊る	to dance	あ 明ける	to end
か 買う	to buy	～おめでとう	Happy..., Congratulations on...
じき 時期	period	しんねん 新年	new year
かんが 考える	to think		

考える to think

L. 1-3 (p. 3)

しょうこ 証拠	evidence	かんたん 簡単	simple
さいじつ 祭日	holiday	がんたん 元旦	New Year's Day
しょうがつ 正月	the first month, January, the New Year	だいぶ	much
よ かた 呼び方	way of calling/naming	つ 着く	to arrive
		～ごろ	around...

出す	to mail a letter	一番	number one, most...
お返し	return	後	after
驚く	to be surprised	配達	delivery
返事	reply	郵便局	post office
さらに	furthermore	～までに	by
～過ぎ	past...	ポスター	poster
主任	chief	**L. 1-4 (p. 4)**	
教授	professor	表	surface
喜ぶ	to rejoice	赤い	red
思う	to think	外	other, another
始まる	to begin	ぼく	I
キャンパス	campus	感じ	feeling
会う	to meet	済む	to finish
ちゃんと	properly	外人	foreigner
届く	to reach	教える	to teach
たずねる	to ask	特別	special
変	strange	扱い	treatment
顔	face	耳	ear
しばらく	for a while	耳が痛い	ashamed to hear (it)
黙る	to become silent	ぜひ	by all means
開く	to open	少し	a little
言う	to say	忘れる	to forget
君	you	わけ	(for explanation of circumstances, reasons, and meanings)
多分	probably		
知る	to know	忙しい	busy

注意	attention	ならう	to follow
足りる	to suffice	短文	short sentence
感じる	to feel, to sense	作る	to make
なるべく	as ... as possible	意味	meaning
鏡開き	the cutting of the New Year's rice cakes which have been used as a decoration	方角	direction
お供え	rice cake offering	時刻	time
もち	rice cake	示す	to indicate
時間	time	動物	animal
失礼	rude, impolite	〜とする	to suppose that...
必ず	without fail	〜を基にして・・・する	... based upon〜
もし	if	質問	question
礼を言う	to thank	答える	to answer
済ます	to be through with	〜を例に取る	to take... as an example
		比較する	to compare
語彙	vocabulary	習慣	custom
新出	newly introduced	従う	to obey, to follow
		今後	from now on
<練習で使われている語句>		付き合う	to associate
練習	exercise	点	point
語句	word and phrase	表現	expression
次	next	漢	(old name for)China
言葉	word	和	Japan
説明する	to explain	辞典	dictionary
例	example	構成	structure

しんしゅつかんじ
■ 新出漢字

1	数	2	(攵)	スウ	number		21	部	3	(阝)	ブ	department
2	前	2	(⺍)	まえ	before		22	課	4	(言)	カ	section
3	東	2	(一)	トウ	east		23	聞	2	(門)	き (く)	to hear to ask
4	京	2	(亠)	キョウ	capital		24	行	2	(彳)	い (く)	to go
5	来	2	(イ)	く (る)	to come		25	時	2	(日)	ジ とき	time
6	勉	3	(力)	ベン	to build		26	求	4	(一)	もと (める)	to search for
7	強	2	(弓)	キョウ	strong		27	紙	2	(糸)	かみ	paper
8	語	2	(言)	ゴ	language, word		28	英	4	(⺗)	エイ	England
9	取	3	(耳)	と (る)	to take		29	話	2	(言)	ワ はな (す)	to speak
10	漢	4	(氵)	カン	China		30	道	2	(辶)	ドウ	road
11	体	2	(イ)	タイ	body		31	代	3	(イ)	ダイ	price
12	読	2	(言)	よ (む)	to read		32	食	2	(食)	ショク	food
13	書	2	(聿)	か (く)	to write		33	電	2	(雨)	デン	electricity
14	友	2	(ナ)	ユウ とも	friend		34	半	2	(十)	ハン	half
15	家	2	(宀)	カ	house		35	分	2	(ハ)	ブン	part
16	庭	3	(广)	テイ	garden		36	初	4	(ネ)	はじ (め)	beginning
17	者	3	(耂)	もの	person		37	冬	2	(攵)	ふゆ	winter
18	借	4	(イ)	か (りる)	to borrow to rent		38	帰	2	(巾)	かえ (る)	to return
19	国	2	(口)	コク	country		39	教	2	(攵)	キョウ	to teach
20	際	5	(阝)	サイ	occasion		40	徒	4	(彳)	ト	companion

41	仏	5	(イ)	ブツ	Buddha	61	着	3	(羊)	つ (く)	to arrive
42	広	2	(广)	コウ	wide	62	返	3	(辶)	ヘン かえ (す)	to return
43	告	4	(口)	コク	to inform	63	内	3	(冂)	ナイ	in side
44	買	2	(罒)	か (う)	to buy	64	事	3	(亅)	ジ	affair thing
45	期	3	(月)	キ	period	65	主	3	(丶)	シュ	master
46	考	2	(耂)	かんが (える)	to think	66	任	5	(イ)	ニン	duty
47	祭	3	(示)	サイ	festival	67	黒	2	(黒)	くろ (い)	black
48	方	2	(方)	かた	way of ... ing	68	思	2	(心)	おも (う)	to think
49	族	3	(方)	ゾク	family	69	始	3	(女)	はじ (まる)	to begin
50	達	4	(辶)	タチ, タツ	plural ending to arrive	70	会	2	(へ)	あう	to meet
51	今	2	(へ)	いま	now	71	変	4	(亠)	ヘン	odd
52	世	3	(一)	セ	world	72	開	3	(門)	ひら (く)	to open
53	送	3	(辶)	おく (る)	to send	73	言	3	(言)	い (う)	to say
54	使	3	(イ)	つか (う)	to use	74	君	3	(尹)	きみ	you
55	賀	5	(貝)	ガ	congratulations	75	多	2	(タ)	タ	abundant
56	状	5	(爿)	ジョウ	letter	76	知	2	(矢)	し (る)	to know
57	絵	2	(糸)	エ	picture	77	番	2	(采)	バン	order number
58	明	2	(日)	あ (ける)	to dawn	78	何	2	(イ)	なに	what
59	新	2	(斤)	シン	new	79	後	2	(彳)	あと	after
60	元	2	(一)	ガン	beginning	80	配	3	(酉)	ハイ	to deliver

81	表	3	(衣)	おもて	surface
82	外	2	(夕)	ガイ ほか	outside other, another
83	感	3	(心)	カン	feeling
84	少	2	(小)	すこ（し）	few lettle
85	注	3	(氵)	チュウ	to pour
86	意	3	(心)	イ	attention
87	間	2	(門)	カン	time interval
88	失	4	(ノ)	シツ	to lose
89	礼	3	(ネ)	レイ	courtesy

■ 練習 ^{れんしゅう}

一、次の言葉を、日本語で説明しなさい。

1. 建築 ^{けんちく}

2. 大体

3. 家庭

4. 滞在 ^{たいざい}

5. 者

6. 国際

7. 求める

8. 上手

9. だんだん

10. 家賃 ^{や ちん}

11. 従って ^{したが}
　　従う ^{したが}

12. 世話
　　（世話になる↔）

13. せっかく

14. ことわざ

15. 年賀状

16. 普通 ^{ふ つう}（↔）

17. 明ける

18. 簡単 ^{かんたん}（↔）

19. 着く

20. 返事

21. 始まる

22. 届く ^{とど}

23. 黙る ^{だま}

24. 配達

25. 感じ

26. 耳が痛い ^{いた}

27. 忙しい ^{いそが}

28. 注意

29. 失礼

30. 礼

二、次の例にならって、短文を作りなさい。^{つぎ れい} ^{たんぶん つく}

1. ｛～したら　～した時｝、たまたま・・・　(p.2, ℓ.7)

・大学へ行ったら、たまたま先生は休みで、授業がなかった。^{じゅぎょう}

・家に帰ったら、たまたまおばが遊びに来ていた。^{あそ}

・図書館へ行った時、クラスメートがたまたま漢字の練習をしていたので、一緒に勉強するこ^{と しょかん} ^{れんしゅう} ^{いっしょ}

　とにした。

2. ～したり・・・したりする　(p.2, ℓ.10)

・きのうは、本を読んだりテレビを見たりしました。

・今日は雨が降ったりやんだりしました。変な天気でしたね。^ふ

・あの作家の書く小説は、おもしろかったりつまらなかったりします。^{さっか} ^{しょうせつ}

－12－

3. $\left\{\begin{matrix}〜する\\〜\end{matrix}\right\}$ という条件で・・・する (p.2, ℓ.12)

・ジョンは小さい時、<u>ちゃんと世話をするという条件で</u>、子犬を買ってもらった。

・<u>口を出さないという条件で</u>お金を出してくれる人は、少ない。

・メアリーは、<u>時給四ドルという条件で</u>、レストランでウエイトレスをしている。

4. $\left\{\begin{matrix}〜すること\\〜\end{matrix}\right\}$ にする (p.2, ℓ.12)

・今日の晩御飯は、<u>カレーにしましょう</u>。

・来年日本へ<u>行くことにしました</u>。

・日本語のクラスでは、英語を<u>使わないことにしています</u>。

5. 〜してしまう (p.2, ℓ.14)

・この課の漢字を早く<u>覚えてしまいましょう</u>。

・宿題を全部<u>してしまいました</u>。

・鈴木さんから借りた字引を、図書館に<u>忘れてしまいました</u>。

6. 驚いたことに (p.3, ℓ.4)

・<u>驚いたことに</u>、この犬は英語も日本語も分かります。

・<u>驚いたことに</u>、日本ではアパートを借りる時、家賃の六カ月分のお金がいります。

・<u>驚いたことに</u>、あの外人は日本にもう十年滞在しているのに、日本語が分かりません。

7. （〜は）・・・するものだ (p.3, ℓ.15)

・日本食は、はしで<u>食べるものだ</u>。

・日本人の家に行ったらくつを<u>ぬぐものだ</u>。

・質問は、よく考えても分からない時<u>するものだ</u>。

8. 〜しても・・・してもいい (p.3, ℓ.16)

・スピーチは、英語で<u>しても</u>日本語で<u>してもいいです</u>。

・プレゼントは、<u>大きくても小さくてもいいです</u>。

・この作文(さくぶん)を出すのは、<u>あしたでもあさってでもいい</u>ですか。

9．～しなくてはいけない （p. 3, ℓ. 20)

・字引(じびき)を<u>使わなくてはいけない</u>。

・日本へ行ったら友達をたくさん<u>作(つく)らなくてはいけない</u>と思う。

・試験(しけん)は<u>やさしくなくてはいけない</u>、と学生は思っています。

10．～するようにする （p. 4, ℓ. 24)

・この次(つぎ)の試験(しけん)までに、漢字を全部(ぜんぶ)<u>覚(おぼ)えるようにします</u>。

・週(しゅう)に一・二度(ど)、<u>走(はし)るようにしています</u>。

・遊(あそ)ぶお金は、アルバイトで<u>稼(かせ)ぐようにしています</u>。

三、「郷(ごう)に入っては郷(ごう)に従(したが)え」ということわざは、英語にもあります。次(つぎ)のことわざの意味(いみ)を考えなさい。

1．転石(てんせき)こけを生(しょう)せず　　　4．ローマは一日にして成(な)らず

2．三人寄れば文殊(もんじゅ)の智恵(ちえ)(よ)　　5．よく遊(あそ)びよく学(まな)べ

3．光陰矢(こういんや)の如(ごと)し　　　　　6．転(ころ)ばぬ先(さき)のつえ

四、日本の祝日(しゅくじつ)

一月一日	元日	九月十五日	敬老(けいろう)の日
一月十五日	成人(せいじん)の日	九月二十三日	秋分(しゅうぶん)の日
二月十一日	建国記念(けんこくきねん)の日	十月十日	体育(たいいく)の日
三月二十一日	春分(しゅんぶん)の日	十一月三日	文化(ぶんか)の日
四月二十九日	天皇誕生日(てんのうたんじょうび)	十一月二十三日	勤労感謝(きんろうかんしゃ)の日
五月三日	憲法記念日(けんぽうきねんび)		
五月五日	こどもの日		

五、「干支」について

十二支

方角・時刻を示す十二の動物。「干支」ともいい、年を示す。

1. 子 ねずみ	5. 辰 たつ	9. 申 さる
2. 丑 うし	6. 巳 へび	10. 酉 とり
3. 寅 とら	7. 午 うま	11. 戌 いぬ
4. 卯 うさぎ	8. 未 ひつじ	12. 亥 いのしし

六、鈴木一男がアメリカに来ているとします。今までに読んだことを基にして、次の質問に答えなさい。

1. 一男からのクリスマスカードは、いつごろ着くと思いますか。

2. 一男がアメリカ人の友人から、クリスマスカードをクリスマス前にもらいました。一男は、この

   クリスマスカードを見て、どんな感じがすると思いますか。また、一男はいつ返事のクリスマスカ

   ードを送ると思いますか。

3. アメリカ人は、いつ返事のクリスマスカードを書きますか。

4. クリスマスカードが十二月二十五日よりも後に届いた時、アメリカ人はどうしますか。

5. 普通、アメリカ人は、クリスマスカードの返事をクリスマスの後には書きません。なぜですか。

6. アメリカ人にとって失礼になることと、日本人にとって失礼になることを、クリスマスカードと

   年賀状を例に取って、比較しなさい。

七、次の質問に答えなさい。

1. ジョンは、日本にいる間は、日本の習慣に従って年賀状を出さなくてはいけないと思いますか。

   なぜですか。

2. ジョンは、アメリカ人のキリスト教徒として、クリスマスカードを出してもいいと思いますか。

   なぜですか。

3. どちらでもいいと思いますか。なぜですか。

4．今後外国人と付き合う時、どんな点に注意しなくてはいけませんか。

八、つぎの表現を勉強しなさい。

1．頭が痛い

2．頭痛の種

3．心配の種

九、漢和辞典

1．音訓索引

音読み
訓読み

2．総画索引 ― 画数

3．部首索引

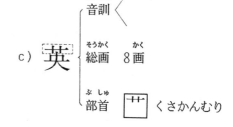

a)　□ へん　　e)　□ かまえ

b)　□ つくり　　f)　□ たれ

c)　□ かんむり　g)　□ にょう

d)　□ あし

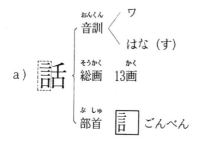

a)　話
音訓　ワ／はな（す）
総画　13画
部首　言　ごんべん

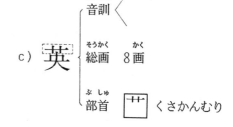

c)　英
音訓　エイ
総画　8画
部首　艹　くさかんむり

b)　新
音訓　シン／あたら（しい）
総画　13画
部首　斤　おのづくり

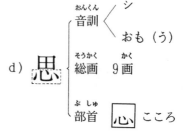

d)　思
音訓　シ／おも（う）
総画　9画
部首　心　こころ

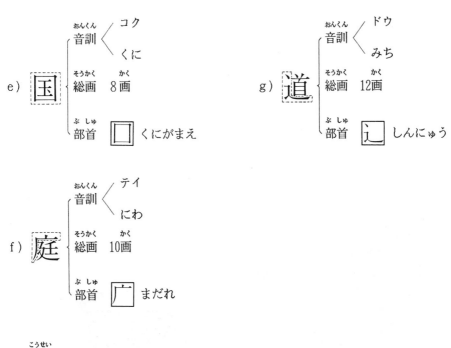

e）国
音訓（おんくん）〈 コク
　　　　　くに
総画（そうかく）　8画（かく）
部首（ぶ　しゅ）　□　くにがまえ

g）道
音訓（おんくん）〈 ドウ
　　　　　みち
総画（そうかく）　12画（かく）
部首（ぶ　しゅ）　辶　しんにゅう

f）庭
音訓（おんくん）〈 テイ
　　　　　にわ
総画（そうかく）　10画（かく）
部首（ぶ　しゅ）　广　まだれ

十、漢字の構成（こうせい）

字体の構成（こうせい）の分類（ぶんるい）

1．象形（しょうけい）（絵→漢字）　◁▷ → ◯ → 目

2．指事（しじ）（考え→漢字）　二 →上，◎→回

3．会意（かいい）（象形（しょうけい）や指事（しじ）の組（く）み合（あ）わせ）門（門）＋耳（耳）→聞

4．形声（けいせい）（へん（左がわ）が意味（いみ）、つくり（右がわ）が読み）訪、語）

漢字の使い方の分類（ぶんるい）

5．転注（てんちゅう）

6．仮借（か　しゃく）

LESSON 2　どちらへ

　ジョンの通っている大学は、高田馬場という駅から歩いて十分程の所にある。高田馬場という駅は、非常におもしろい駅で、ＪＲ線はもちろん私鉄も地下鉄もバスも通じている。東京には、このように通勤通学に便利な駅が多い。

　さて、ジョンが一男と一緒に借りているアパートは、阿佐ヶ谷という

5　駅からあまり遠くない所にある。アパートから駅まで徒歩で十五分くらいかかるので、普通はバスに乗る。本町一丁目という停留所で乗って三つ目が阿佐ヶ谷駅前で終点である。

　ジョンは、外人だからといって特別扱いされたくないと思っている。だから近所のスーパーへ一人で買い物にも行くし、手ぬぐいと石けんを持って

10　銭湯にも出かける。もちろん、日本語で話すように心掛けている。日本人は外人を見ると、反射的に英語を話さなければいけないと思うらしく、あわてるが、ジョンが日本語を話すと知るや否やほっとするらしく、とたんに優しくなる。安心して気分が落ち着くらしい。外国人をみなアメリカ人と思いこむのには苦笑するが、日本語を強要せず「相手の国の言葉が分からない、ど

15　うしよう」とあわてるところがほほえましい。とにかく、ジョンは、近所で「日本語の分かる気さくな外人さん」と呼ばれるようになった。顔見知りの人もだいぶ増えた今日このごろである。

　ある日バス停でバスを待っていた。すると、向こうから顔見知りのおばさんが、買い物かごをぶら下げて歩いて来た。おばさんは、何も言わずただ軽

20　く頭を下げただけだったので、ジョンもまねをして、軽くおじぎをした。次に別のおばさんが通りかかった。そして、ジョンに会釈して、「今日はいいお天気ですねえ。どちらへ」と言った。

　ジョンは少なからず驚いた。どこへ行こうとこちらの勝手じゃないか、という思いにかられたのである。しかし、返事をしないのは失礼だと思い、「日

25　本橋のデパートへ買い物に行きます」と正直に答えた。何だか警察で取り調べを受けているような感じがした。ジョンの返事を聞いて、おばさんは少し変な顔をし

ていたが、すぐに、「そうですか。それは、それは」と言って、行ってしまった。

　バスに乗ってみると、また顔見知りの人に会った。そして同じように、「どちらへ」とたずねられた。「日本橋のデパートへ買い物に行くんです」と答えると、今度は、どのデパートへ行くのかとか、△△デパートを推せんするとか、何を買うのかとか、いちいちうるさく質問された。ジョンは参ってしまった。日本人は何とせんさく好きな国民なのだろう、とつくづく感じた。

　夕方暗くなってアパートへ帰ってみると、同居人の一男（かずお）がカレーを作っていた。鼻歌まじりで、大変うれしそうである。ジョンは全くしょげていた。食欲はあまりなかったが、一男（かずお）が勧めてくれるので、酒を少し飲み、カレーをごちそうになった。

一　男　ジョン、随分（ずいぶん）元気がないね。どうしたんだ。

ジョン　何でもないよ。

一　男　何でもなくないよ。ちょっと変だよ。熱でもあるのかい。

ジョン　ぼく、ホームシックにかかったのかも知れない。何だか日本がいやになってきた。

一　男　ええっ。

ジョン　だってみんなうるさいんだもの。プライバシーの侵害（しんがい）だ。

一　男　一体、何があったんだい。

ジョン　朝バスを待っている時、通りかかったおばさんに、どこに行くのかって聞かれたんだ。どこへ行こうとぼくの勝手じゃないか。おまけに、バスで会った人に同じ質問をされ、「日本橋のデパートに買い物に行くんです」って答えたら、日本橋の何デパートへ行くのかとか、自分は△△デパートを推せんするとか、何を買うのかとか、しつこいんだ。ほとほとうんざりしてしまったというわけさ。日本人て、どうしてこうおせっかいなんだろう。

5

10

15

20

25

　　一男はふき出してしまった。ジョンの**誤解**を解こうと、**説明**を**試**みた。

一　男　あのね、ジョン、その人達の言った「どちらへ」というのはあいさ
　　　　つで、何の意**味**もないんだよ。

ジョン　だって、「どちらへ」というのは、「今日はどこへ行きますか」っ
　　　　ていう意味だろう。

一　男　そう言葉どおりにとってはいけないんだ。

ジョン　じゃあ、「どちらへ」ってたずねられたら、何て答えればいいんだ。

一　男　「ちょっとそこまで」って答えればいいんだよ。

ジョン　"Where are you going ? " " Just there." これじゃ会話に
　　　　ならないよ。

一　男　それは、君が英語で考えているからだよ。一語一語英語に**訳**して、
　　　　通じることと通じないこととあるんだよ。

ジョン　じゃあ、なぜ、日本橋の何デパートへ行くのかとか、何を買うのか
　　　　とか、こちらが言いもしないうちにどんどん質問を始めるんだ。プ
　　　　ライバシーの侵害_{しんがい}じゃないか。

一　男　それはね、ジョン、君が**必要以**上に答えたからさ。

ジョン　ええっ。

一　男　「ちょっとそこまで」程度の答えしか期待していなかったのに、「日
　　　　本橋のデパートへ買い物に行くんです」なんて答えられたら、聞い
　　　　た方が驚_{おどろ}いてしまうよ。多分その人は、君がいろいろ**個人**的なこと
　　　　を聞いてほしがっている、ととったんだと思うよ。だから、少し立
　　　　ち入ったことを聞いたんだ。**親切**心から出たことなんだから、分か
　　　　ってあげなくちゃ。

ジョン　ふうん、何だか**難**しいんだね。

Lesson 2-5

■ 語彙

L. 2-2 (p. 19)

通う	to go to and from	乗る	to take, to get on
駅	station	本町一丁目	Honcho 1-chome (an address)
歩く	to walk	停留所	bus or trolley stop
～程	approximately...	三つ目	the third (stop)
所	place	終点	last stop, terminal
非常に	unusually, very	だから	therefore
おもしろい	interesting	近所	neighborhood
JR線	Japan Railways	スーパー	supermarket
私鉄	non-governmental (railroad) line	買い物	shopping
地下鉄	subway	手ぬぐい	hand towel (cotton)
バス	bus	石けん	soap
通じる	to run to	銭湯	public bath
通勤	going to work	出かける	to go out
通学	going to school	心掛ける	to aim at
便利	convenient	反射的	reflective
多い	many, plentiful	～らしい	it appears that...
さて	by the way	あわてる	to be flurried
阿佐ヶ谷	Asagaya (in Tokyo)	～や否や	as soon as...
遠い	far	ほっとする	to be relieved
徒歩	walking	とたんに	just at that moment, just as
～くらい	about...	優しい	gentle, sweet
かかる	to take		

Lesson 2-6

あんしん 安心	peace of mind, to be relieved
きぶん 気分	feeling
お っ 落ち着く	to settle down
みな（みんな）	everyone
おも 思いこむ	to be convinced
く しょう 苦笑	wry smile
きょうよう 強要する	to force
あいて 相手	partner, companion
くに 国	country
ことば 言葉	language
わ 分かる	to understand
ほほえましい	smile-provoking, heartwarming
とにかく	at any rate
き 気さく	friendly, not put on airs
かおみ し 顔見知り	to know (someone) by sight
ふ 増える	to increase
このごろ	these days
てい バス停	bus stop
ま 待つ	to wait
すると	then
む 向こう	opposite direction
おばさん	elderly lady
か もの 買い物かご	shopping basket/bag

さ ぶら下げる	to hang
かる 軽く	lightly
あたま 頭	head
あたま さ 頭を下げる	to bow
まねをする	to imitate
おじぎをする	to bow
つぎ 次	next
べつ 別の〜	another...
とお 通りかかる	to pass by
え しゃく 会釈	bow
てんき 天気	weather
どちら	which way, where
すく 少なからず	not just a little
かって 勝手	one's own willfulness
おも 思いにかられる	cannot help feeling...
に ほんばし 日本橋	Nihonbashi (in Tokyo)
しょうじき 正直	honest
こた 答える	to answer, to respond
けいさつ 警察	police
と しら 取り調べ	investigation, examination
う 受ける	to take

—23—

L. 2-3 (p. 20)

すぐに	immediately
同じ (おな)	same
今度 (こんど)	this time, next time
推せんする (すい)	to recommend
いちいち	one by one, without omission
うるさい	nosy
参る (まい)	to be stumped
せんさく	poking one's nose into
好き (す)	to like
国民 (こくみん)	people
つくづく	deeply, throughly
夕方 (ゆうがた)	evening
暗い (くら)	dark
カレー	curry
作る (つく)	to make
鼻歌 (はなうた)	humming
鼻歌まじり (はなうた)	with humming a tune
大変 (たいへん)	very
うれしい	happy, delighted
～そう	it appears that...
全く (まった)	absolutely, completely
しょげる	be disheartened, to mope

食欲 (しょくよく)	appetite
勧める (すす)	to encourage, to offer
酒 (さけ)	sake
飲む (の)	to drink
随分 (ずいぶん)	very
ごちそう	feast, treat
元気 (げんき)	pep
熱 (ねつ)	fever
ホームシック	homesick
かかる	to fall ill, to be seized with
何だか (なん)	for some reason
いや	disgusting, loathsome
プライバシー	privacy
侵害 (しんがい)	invasion
朝 (あさ)	morning
おまけに	in addition
しつこい	inquisitive, persistent
ほとほと	quite, entirely
うんざり	disgusting
おせっかい	nosy, meddlesome

L. 2-4 (p. 21)

ふき出す (だ)	to burst out laughing

ご かい		
誤解	misunderstanding	

誤解　misunderstanding

と
解く　to solve, to dispel

せつめい
説明　explanation

こころ
試みる　to try

あいさつ　greetings

い み
意味　meaning

〜どおり　as...

かいわ
会話　conversation

いちご いちご
一語一語　word by word

やく
訳す　to translate

つう
通じる　to make oneself understood

なぜ　why

どんどん　one after another

はじ
始める　to begin

ひつよう
必要　necessary

いじょう
〜以上　more than...

ていど
程度　degree

き たい
期待する　to expect

こ じんてき
個人的　private, personal

〜してほしい　to want someone to do...

ほしがる　to desire, to covet

た い
立ち入る　to meddle with

しんせつ
親切　kindness

むずか
難しい　difficult

れんしゅう　　　 ご く
＜練習で使われている語句＞

ちょくやく
直訳　direct translation

ただ
正しい　correct

つた
伝える　to tell, to transmit

ひょうげん
表現　expression

ほんぶん
本文　main story

くら
比べる　to compare

おとこことば
男言葉　male language/form

おんなことば
女言葉　female language/ form

ちが
違い　difference

な まえ
名前　name

あ
挙げる　to present, to give

■ 新出漢字

1	通	2	(辶)	ツウ かよ（う）	to go to & from to pass	21	留	5	(田)	リュウ	to stop
2	高	2	(亠)	たか（い）	high	22	終	3	(糸)	シュウ	end
3	馬	2	(馬)	バ	horse	23	点	2	(灬)	テン	point
4	場	2	(土)	ば	place	24	特	5	(牛)	トク	special
5	駅	3	(馬)	エキ	station	25	別	4	(刂)	ベツ	exception
6	歩	2	(止)	ホ ある（く）	to walk	26	近	2	(辶)	キン ちか（い）	near
7	程	5	(禾)	ほど	degree	27	物	3	(牛)	もの	thing
8	所	3	(戸)	ジョ ところ	place	28	持	3	(扌)	も（つ）	to have
9	非	5	(非)	ヒ	non- un-	29	銭	5	(金)	セン	money
10	常	5	(⺌)	ジョウ	usual	30	湯	3	(氵)	トウ	hot water
11	私	6	(禾)	シ	private	31	心	2	(心)	シン	heart
12	鉄	3	(金)	テツ	steel iron	32	反	3	(厂)	ハン	anti-
13	地	2	(土)	チ	ground	33	射	6	(身)	シャ	to shoot (an arrow)
14	勤	6	(力)	キン	to serve	34	的	4	(白)	テキ	suffix for forming adj. from noun
15	便	4	(イ)	ベン	convenience	35	否	6	(口)	いな	no
16	利	4	(禾)	リ	interest	36	優	6	(イ)	やさ（しい）	gentle
17	遠	2	(辶)	とお（い）	far	37	安	3	(宀)	アン	inexpensive
18	乗	3	(ノ)	の（る）	fo ride	38	落	3	(艹)	お（ちる）	to fall
19	丁	3	(一)	チョウ	Japanese linear unit (120 yds.)	39	苦	3	(艹)	ク	bitter
20	停	4	(イ)	テイ	to stop	40	笑	6	(竹)	ショウ	smile

41	要	4	(西)	ヨウ	necessity	61	同	2	(冂)	ドウ おな (じ)	same
42	相	4	(木)	アイ	mutual	62	度	3	(广)	ド	times
43	葉	4	(艹)	は (ば)	leaves	63	推	6	(扌)	スイ	to recommend
44	呼	6	(口)	よ (ぶ)	to call	64	質	5	(貝)	シツ	to inquire
45	顔	2	(頁)	かお	face	65	問	3	(門)	モン	to ask
46	増	5	(土)	ふ (える)	to increase	66	参	4	(ム)	まい (る)	to surrender
47	待	3	(イ)	ま (つ)	to wait	67	好	6	(女)	す (き)	to like
48	向	3	(口)	む (こう)	opposite	68	民	4	(民)	ミン	people
49	軽	3	(車)	かる (い)	light	69	暗	3	(日)	くら (い)	dark
50	頭	3	(豆)	あたま	head	70	居	5	(尸)	キョ	dwelling place
51	次	3	(冫)	つぎ	next	71	作	2	(イ)	つく (る)	to make
52	釈	6	(釆)	シャク	to interpret	72	鼻	3	(自)	はな	nose
53	勝	3	(月)	か (つ)	to win	73	歌	2	(欠)	うた	song
54	橋	3	(木)	はし, ばし	bridge	74	全	3	(ヘ)	まった (く)	entirely
55	直	3	(十)	ジキ	to set right	75	欲	6	(谷)	ヨク	desire
56	答	2	(竹)	こたえ こた (える)	to answer	76	勧	3	(力)	すす (める)	to encourage
57	警	6	(言)	ケイ	to warn to guard	77	酒	3	(氵)	さけ	sake
58	察	4	(宀)	サツ	to perceive	78	飲	3	(食)	の (む)	to drink
59	調	3	(言)	しら (べる)	to investigate	79	熱	4	(灬)	ネツ	fever
60	受	3	(爫)	う (ける)	to receive	80	害	4	(宀)	ガイ	harm

81	朝	2	(卓)	あさ	morning
82	誤	6	(言)	ゴ	error
83	解	5	(角)	カイ と（く）	explanation to solve
84	説	4	(言)	セツ	explanation
85	試	4	(言)	こころ（みる）	to try
86	味	3	(口)	ミ	taste
87	訳	6	(言)	やく（す）	to transtale
88	必	4	(心)	ヒツ かなら（ず）	without fail
89	以	4	(イ)	イ	with
90	個	5	(イ)	コ	individual
91	親	2	(見)	シン	familiar
92	切	2	(刀)	セツ	to cut
93	難	6	(隹)	むずか（しい）	difficult

■ <ruby>練習<rt>れんしゅう</rt></ruby>

一、次の言葉を、日本語で説明しなさい。

1. 通う	11. 向こう	21. 勧める
2. 非常	12. おじぎ	22. ごちそう
3. 便利	13. 勝手	23. <ruby>随分<rt>ずいぶん</rt></ruby>
4. 終点	14. 正直 (↔)	24. 解く
5. 近所	15. 答える	25. 説明
6. <ruby>心掛ける<rt>こころが</rt></ruby>	16. すぐ	26. 試みる
7. 安心 (↔)	17. 推せん	27. 訳す
8. 思いこむ	18. 好き (↔)	28. 始める (↔)
9. 相手	19. 作る	29. 必要
10. とにかく	20. 全く	30. 難しい (↔)

二、次の<ruby>例<rt>れい</rt></ruby>にならって、<ruby>短文<rt>たんぶん</rt></ruby>を作りなさい。

1. ～するように<ruby>心掛けている<rt>こころが</rt></ruby> (p.19, ℓ.10)
   ・週に二度ジョギングをするように<ruby>心掛けて<rt>こころが</rt></ruby>います。
   ・日本語<ruby>番組<rt>ばんぐみ</rt></ruby>を見るように<ruby>心掛けて<rt>こころが</rt></ruby>下さい。
   ・<ruby>甘<rt>あま</rt></ruby>い物を食べないように<ruby>心掛けて<rt>こころが</rt></ruby>います。

2. ～と、・・・ (S₁とS₂) (p.19, ℓ.11)
   ・アパートに帰ると、友達から手紙が来ていた。
   ・外へ出ると、もう暗くなっていた。
   ・あまり心配すると、<ruby>胃<rt>い</rt></ruby>が<ruby>痛<rt>いた</rt></ruby>くなりますよ。

3. ～らしい (p.19, ℓ.11)
   ・川口さんは<ruby>鈴木<rt>すずき</rt></ruby>さんと<ruby>結婚<rt>けっこん</rt></ruby>するらしいですよ。
   ・天気<ruby>予報<rt>よほう</rt></ruby>によると、あしたは<ruby>雨<rt>あめ</rt></ruby>らしい。

・森さんは、いくら電話しても出ない。出かけているらしい。

4．〜するや否や・・・（p.19, ℓ.12）

・山田さんは、バスに乗るや否や、本を読み始めた。

・お酒を飲むや否や、食欲が出てきた。

・私はお金をもらうや否や、使ってしまうので、いくらもらっても足りません。

5．{疑問詞 (Interrogatives)} + 〜 {おう / よう} と、こちらの勝手だ（p.19, ℓ.23）

・どこへ行こうと、こちらの勝手です。

・何を食べようと、こちらの勝手です。

・どこで勉強しようと、こちらの勝手です。

6．〜のような感じがする（p.19, ℓ.26）

・日本食を食べながら日本語番組（ばんぐみ）を見ていると、日本にいるような感じがします。

・日本で、うさぎ小屋（ごや）に住んでいるような感じがしましたか。

・日本のデパートの店員（てんいん）はとても丁寧（ていねい）で親切なので、ＶＩＰになったような感じがする。

7．〜とつくづく感じる（p.20, ℓ.6）

・漢字を何度書いても覚（おぼ）えられません。日本語は難しいと、つくづく感じます。

・サンディエゴは十月でも暖（あたたか）いですよ。とても住みやすい所だと、つくづく感じます。

・日本は小さい国だとつくづく感じました。

8．〜そうだ（p.20, ℓ.8）

・あの車は随分（ずいぶん）高そうだ。

・雨が降（ふ）りそうですね。かさを持って行って下さい。

・この映画（えいが）はおもしろそうですね。今度一緒（いっしょ）に見に行きましょう。

高そうだ	⟷	高いそうだ	（先生らしい）	⟷	先生だそうだ
降（ふ）りそうだ	⟷	降るそうだ	（有名（ゆうめい）らしい）	⟷	有名だそうだ
おもしろそうだ	⟷	おもしろいそうだ			

9. ～したら (p. 20, ℓ. 22)

　　・この宿題をしたら、休もうと思っています。

　　・もらったお菓子を食べたら、おなかが痛くなった。

　　・林さんに会ったら、電話をくれるように言って下さい。

10. $\left\{\begin{array}{l}～が\\～に・・・して\end{array}\right\}$ ほしい (p. 21, ℓ. 21)

　　・先生は学生に勉強してほしいと思っています。

　　・学生は先生に宿題を出してほしくありません。

　　・メアリーは日本人の友達に英語で話さないで日本語で話してほしいと思っている。

三、次の英語を日本語に直訳して、どのような意味になるかを考えなさい。また、英語の意味を正しく

　伝えるためには、どう言ったらよいか考えなさい。

　1．I like your watch.　　　　7．I studied the book.

　2．How are you?　　　　　　8．Take care.

　3．Do you have a family?　　9．Have a good day.

　4．I liked that film.　　　　10．Good luck!

　5．Do you have the time?　　11．What's up?

　6．I love you.　　　　　　　12．How's it going?

四、次の表現の意味を考えなさい。

　　（言葉どおりの意味→本当の意味）

　1．すみません。　　　　　　4．つまらない物ですが・・・。

　2．お帰りなさい。　　　　　5．ゆっくり眠れましたか。

　3．何もありませんが、どうぞ。　6．電話を貸して下さい。

五、次の会話と本文21ページの会話を比べて、男言葉と女言葉の違いについて考えなさい。

花　　子　　メアリー、随分元気がないわね。

　　　　　　どうしたの。

メアリー　　何でもないわよ。

花　　子　　何でもなくないわよ。ちょっと変よ。熱でもあるの。

メアリー　　あたし、ホームシックにかかったのかも知れない。何だか日本がいやになってきた

　　　　　　わ。

花　　子　　ええっ。

メアリー　　だってみんなうるさいんだもの。プライバシーの侵害だわ。

花　　子　　一体、何があったの。

メアリー　　朝バスを待っている時、通りかかったおばさんに、どこへ行くのって聞かれたの。

　　　　　　どこへ行こうとあたしの勝手じゃないの。

六、次の表現を勉強しなさい。

1．話にならない。

2．勝負にならない。

3．相手にならない。

七、次の部首について名前と意味を勉強し、その部首の使われている漢字を挙げなさい。

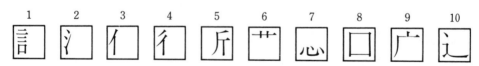

1	2	3	4	5	6	7	8	9	10
言	氵	亻	彳	斤	艹	心	囗	广	辶

LESSON 3 敬語はやっぱり難しい

　ジョンは、このごろ**敬語**が使いたくてうずうずしている。一緒に**住ん**でいる一男は同年配なので、あまり敬語を使う**機**会がない。一男のガールフレンドの森山花子は、「の」「よ」「わ」「のよ」「わよ」など、**女性**特**有**の言い方をして優しい感じがするが、これは敬語でもなければ、男性でも使える言い**回**しでもない。下手にまねをすると、とんでもないことになりかねないから、注意しなければならないと聞く。

　ジョンが日本に着いたばかりのころは、みんなに「君の日本語は丁寧すぎる」と、よく笑われたものだった。アメリカの大学で**習**ってきたのは、口語では「です体」「ます体」、文語では「だ体」「である体」である。「て・に・を・は」も徹**底**的にたたきこまれた。敬語や丁寧語も一**応**は勉強してきた。

　だから、初めのころ、一男に「その本、おもしろい」と**尋**ねられた時、正直言って**驚**いた。何**故**「その本は、おもしろいですか」ときちんと聞けないのか**不思議**だったのである。そして、ジョンが「はい、この本はおもしろうございます」と**精**いっぱい丁寧に答えると、一男は笑いをこらえるのに苦しそうだった。

　「はい、この本はおもしろいです」——これでも丁寧すぎるのだそうだ。「うん、おもしろいよ」——これで十分だと知った時の**驚**きは、今でも**忘**れることができない。それ以来、主語は、言わなければ話が通じない時以外使わなくなったし、あんなに苦**労**して**覚**えた「て・に・を・は」も使わなくなった。英語で言う Informal Form ばかりを**用**いるようになったのである。

　一男や友達が、「うん、ジョンの日本語、うまくなったなあ」とほめてくれるようになった時、ジョンは「では、大学で教えてくれた日本語は一体何だったのだろうか」と考え始めた。しかし、じきに、アメリカの大学で習った**形**は、だれに使っても失礼にはならないが、一男の教えてくれた形は、よく知らない人や目上の人には使えないことが分かった。つまり、ジョンがアメリカで習ってきた日本語は、いつだれに**対**しても使える**最**も安全な形だっ

たのである。また、手紙を書く時にも使える大変便利な形でもあったのである。

　しかし、いったん、日常会話で「て・に・を・は」を使わなくなると、使い方を思い出すのに時間がかかるようになる。だから、ジョンは忘れてしまわないように、友達以外の人々と話す時には、**努**めて「て・に・を・は」を使うようにしている。分かっていて**省略**するぶんには何の**問題**もないが、省略したものが何であるか分からないでいるのは、**困**りものだからである。

　さらに、**尊敬語・謙譲語・丁寧語**を使うと、日本語がより日本語らしくなると聞くので、黒川先生といる時など、特に**頻繁**に使うように努力している。

　そんなある日、**授業**の後で先生が「スミス君、ちょっと」と言う。行ってみると、明日の**午後三時**に**研究室**に来るように、とのことだった。

ジョン　　黒川先生・・・。

先　生　　やあ、お入りなさい。

ジョン　　はい、失礼します。

先　生　　まあ立っていないでおかけなさい。

ジョン　　ありがとうございます。

先　生　　わざわざ呼び出して**済**まなかった。**実は**、**建設会社**に勤めている友人が、ビジネスレターの英語をチェックしてくれる人を**探**しているんだが、君はどうかと思ってね。英語の**添削**だけじゃつまらないが、会社の内部を**細**かく**観察**できるから、**良**い勉強になると思うんだが。

ジョン　　はい、先生、**喜**んでやらせて**頂**きます。

先　生　　では、この男に電話して会ってごらんなさい。

ジョン　　はい、そう**致**します。ありがとうございました。

　ジョンは、**渡**された**名刺**を見ながらダイヤルを回す。

交換手 はい、もしもし、大日本建設でございます。

ジョン 恐れ入りますが、海外事業部の三船部長さんをお願いします。

交換手 失礼ですが、どちら様でしょうか。

ジョン △△大学の黒川先生からご紹介を受けたスミスと申します。

交換手 少々お待ち下さい。三船の秘書におつなぎ致します。 5

部長秘書 お電話かわりました。海外事業部でございます。申し訳ございませ

んが、三船はただ今会議中で席を外しておりますが・・・。

ジョン 会議は何時ごろ終わる予定でしょうか。

部長秘書 そうですねえ、五時までには終わると思いますが。こちらからかけ

させましょうか。 10

ジョン いいえ、結構です。

部長秘書 では、何かお言付けでも。

ジョン また五時ごろお電話致しますから、結構です。

部長秘書 そうですか。では、お電話お待ち致しております。ごめん下さい。

ジョン ごめん下さい。 15

三　船 スミス君、会議中に電話してくれたそうで、済まなかったね。

ジョン とんでもありません。

三　船 電話じゃ何だから、こっちに来てみませんか。

ジョン はい、伺わせて頂きます。いつがよろしいでしょうか。

三　船 明日の六時ごろはどうかな。晩飯でも食べながら、ゆっくり話そう。 20

黒川が優秀な学生だと太鼓判を押していたから。

ジョン はい、伺います。よろしくお願い致します。

三　船 じゃ、明日。

ジョン 失礼致します。

外の**公衆**電話から三船部長に電話をかけたジョンは、**首**をひねりながら帰って来た。今日の**寒**さは**骨身**にしみるので、まず、**牛乳**と砂糖のたっぷり入った熱いコーヒーを一杯飲んだ。

　　一　男　　今日はどんなことで悩んでいるんだ。

5　ジョン　　今日、黒川先生の紹介で、大日本建設の三船さんという人の所に電話をかけたんだ。すると、三船さんの秘書が「三船はただ今おりません」て言ったんだ。「三船さん」と言わないで「三船」と呼び**捨**てにした上、「おりません」と謙譲語を使ったんだ。**自分の上司**に対して、どうしてそんな失礼な言い方ができるんだろう。

10　一　男　　ぼくは、その会社は社**員教育**が行き**届**いていると思うけどな。

　　ジョン　　？

　　一　男　　外部の人間に対しては、たとえ上司であっても敬称を使わないのさ。会社の外の人を敬って尊敬語を使い、会社の中の人は身内扱いして謙譲語を使うんだ。たとえほかの人がやったミスでも、外部の人が

15　　　　　　文**句**を言った時、まず**謝**るのと同じ**原理**だよ。

　　ジョン　　では、この秘書が部長に直**接**話す時は。

　　一　男　　会社内では、**無論**、上下**関係**がはっきりしているさ。

　　ジョン　　部長を身内扱いしないんだね。

　　一　男　　目上だもの。

20　ジョン　　じゃあ、その時の状況によって、同じ人を身内扱いして謙譲語を使ったり、目上扱いをして尊敬語を使ったりするんだね。

　　一　男　　**当**たり。いつ身内扱いしていつ目上扱いするか判**断**できなくては、一人前の会社員とは言えないんだ。

　　ジョン　　敬語はやっぱり難しいなあ・・・。ところで、三船さんは、どうして

25　　　　　　ぼくが会議中に電話したことを知っていたんだろう・・・。

一　男　　だって、君は秘書と話したじゃないか。

ジョン　　でも、メッセージは**残**さなかったんだよ。「スミスがお電話したと
　　　　　お**伝**え下さい」と、秘書に頼んだわけじゃないんだよ。

一　男　　？

■ 語彙
　ご　い

L. 3−2 (p. 34)

敬語 けいご	honorific expression	たたきこむ	to beat... into one's head
うずうずする	to be impatient	一応 いちおう	once, for the time being
住む す	to live	何故 なにゆえ	why
同年配 どうねんぱい	of the same age	きちんと	correctly, properly
機会 きかい	opportunity	不思議 ふしぎ	mysterious
ガールフレンド	girlfriend	精いっぱい せい	to the best of one's ability
森山花子 もりやまはなこ	Hanako Moriyama	笑い わら	laughter
女性 じょせい	female, women	こらえる	to stifle
特有 とくゆう	characteristic, peculiar	苦しい くる	painful
言い方 いかた	way of saying	十分 じゅうぶん	enough
男性 だんせい	male, men	驚き おどろ	surprise
言い回し いまわ	mode of expression	忘れる わす	to forget(Also see L.1-7)
下手 へた	poor	～以来 いらい	since...
とんでもない	surprising, unexpected	主語 しゅご	subject
～しかねない	highly likely to...	～以外 いがい	except...
～したばかり	have just finished...	～し	besides, moreover (conjunction)
みんな（みな）	everyone(Also see L.2-6)	苦労 くろう	troubles, hardships
丁寧 ていねい	polite	覚える おぼ	to memorize
～すぎる	too...	用いる もち	to use
習う なら	to learn	うまい	skillful, good
口語 こうご	colloquial language	ほめる	to praise
文語 ぶんご	literary language		
徹底的 てっていてき	thorough		

じきに	soon	努力	effort
形	form	授業	class
だれ	who	～君	Mr. ...
目上	superior	午後	afternoon
つまり	in short	研究	research
対する	toward, for	研究室	office
最も	most	入る	to enter
安全	safe	立つ	to stand up
		かける	to sit down

L. 3-3 (p. 35)

また	also	わざわざ	with much trouble
手紙	letter	呼び出す	to call, to summon
いったん	once	済まない	sorry
日常会話	daily conversation	実は	to tell you the truth
使い方	usage, way of using	建設	construction
思い出す	to remember	会社	company
努めて	with efforts	ビジネスレター	business letter
省略する	to omit	チェックする	to check
問題	problem	探す	to look for
困る	to be in trouble	添削	correction
尊敬語	honorific form	内部	inside
謙譲語	humble form	細かく	in detail
丁寧語	polite form	観察する	to observe
特に	especially, in particular	良い	good
		喜んで	with pleasure
頻繁に	frequently	やる	to do

頂く	to receive	席	seat
渡す	to hand	外す	to put out of place
名刺	business card	終わる	to finish
見る	to see	予定	schedule
～ながら	while...	かける	to call
ダイヤル	dial	結構	no thank you
回す	to turn	言付け	message
		ごめん下さい	goodbye

L. 3-4 (p. 36)

交換手	operator	伺う	to visit
もしもし	hello	よろしい	good
恐れ入りますが	excuse me, but...	明日は	tomorrow
海外	overseas, abroad	晩飯	dinner
事業	project, enterprise	優秀	excellent, outstanding
部長	head of division	太鼓判	(putting) one's seal of approval on
お願いする	to give me...	押す	to stamp
どちら様	who		
紹介	introduction		

L. 3-5 (p. 37)

申す	to say, to call	外	outside
秘書	secretary	公衆	public
つなぐ	to connect, to put...through	首	neck
申し訳ございませんが	I am sorry, but...	ひねる	to incline
ただ今	right now	寒さ	cold, chilly sensation
会議	meeting	骨	bone
～中	at, in the middle of...	しみる	to pierce

ぎゅうにゅう 牛乳	milk	ない 〜内	inside...
さ とう 砂糖	sugar	む ろん 無論	of course
たっぷり	plenty	じょうげかんけい 上下関係	superior and inferior relationship
あつ 熱い	hot		
いっぱい 一杯	one cup of	はっきりする	to become evident
なや 悩む	to worry	じょうきょう 状況	situation
おる	to be	〜によって	depending upon...
よ す 呼び捨て	to call one's name w/o honorific title	あ 当たり	correct
		はんだん 判断	judgment
じ ぶん 自分	self	いちにんまえ 一人前	man-size, mature, on one's own
じょうし 上司	boss		
しゃいん 社員	company employee	いん 〜員	... employee
きょういく 教育	education		

L. 3−6 (p. 38)

ゆ とど 行き届く	to be perfect	メッセージ	message
がいぶ 外部	outside	のこ 残す	to leave
にんげん 人間	people	つた 伝える	to tell, to transmit
けいしょう 敬称	honorific title	たの 頼む	to ask
うやま 敬う	to respect	れんしゅう ごく <練習で使われている語句>	
み うち 身内	insiders	ひょう 表	chart
ミス	mistake	どくじ 独自	peculiar, original
もんく 文句	complaint	か のう 可能	possible
まず	first of all	せいやく 制約	restriction
あやま 謝る	to apologize	じょうたい 状態	situation
げんり 原理	principle	どうし 動詞	verb
ちょくせつ 直接	direct	う み 受け身	passive(voice)

形容詞	adjective
名詞	noun
下線	underline
書き換える	to rewrite
内容	content

(けいようし)形容詞 adjective
(めいし)名詞 noun
(かせん)下線 underline
(かか)書き換える to rewrite
(ないよう)内容 content

■ 新出漢字

1	敬	6	(攵)	ケイ / うやま（う）	to respect
2	住	3	(イ)	す（む）	to live
3	機	4	(木)	キ	loom
4	性	5	(忄)	セイ	sex
5	有	3	(十)	ユウ	to have
6	回	2	(口)	まわ（す）	to turn
7	習	3	(羽)	なら（う）	to learn
8	底	4	(广)	テイ	bottom
9	応	5	(广)	オウ	to answer
10	故	5	(攵)	コ / ゆえ	circumstances cause
11	不	4	(一)	フ	dis- mal- in- ill- un-
12	議	4	(言)	ギ	discussion
13	精	5	(米)	セイ	spirit
14	忘	6	(心)	わす（れる）	forget
15	労	4	(ツ)	ロウ	labor
16	覚	4	(ツ)	おぼ（える）	to memorize
17	用	2	(冂)	もち（いる）	to use
18	形	2	(彡)	かたち	form
19	対	3	(寸)	タイ	opposite
20	最	4	(日)	もっと（も）	most

21	努	4	(力)	つと (める)	to make efforts	41	良	4	(艮)	よ (い)	good
22	省	4	(目)	ショウ	to omit	42	喜	4	(士)	よろこ (ぶ)	to rejoice
23	略	5	(田)	リャク	omission abbreviation	43	頂	6	(頁)	いただ (く)	to receive
24	題	3	(頁)	ダイ	topic	44	交	2	(亠)	コウ	mixed
25	困	6	(口)	こま (る)	to be troubled	45	海	2	(氵)	カイ	sea
26	尊	6	(亠)	ソン	to respect	46	船	2	(舟)	ふね	ship boat
27	授	5	(扌)	ジュ	to instruct	47	長	2	(長)	チョウ	head of an institution or organization
28	業	3	(木)	ギョウ	studies	48	願	4	(頁)	ねが (う)	to ask
29	午	2	(十)	ゴ	noon	49	様	3	(木)	さま	polite suffix for personal names
30	研	3	(石)	ケン	study	50	申	3	(田)	もう (す)	to say
31	究	3	(宀)	キュウ	study	51	秘	6	(禾)	ヒ	secret
32	室	2	(宀)	シツ	room	52	席	4	(广)	セキ	seat
33	済	6	(氵)	す (む)	to be settled	53	予	3	(マ)	ヨ	previous
34	実	3	(宀)	ジツ	reality	54	定	3	(宀)	テイ	to decide
35	建	4	(廴)	ケン	to build	55	結	4	(糸)	ケツ	end knot
36	設	5	(言)	セツ	to establish	56	構	5	(木)	コウ	structure
37	社	2	(ネ)	シャ	company	57	晩	6	(日)	バン	evening
38	探	6	(扌)	さが (す)	to search	58	飯	4	(食)	ハン めし	meal
39	細	3	(糸)	こま (かい)	detailed	59	太	2	(大)	タイ	big
40	観	4	(見)	カン	to look at carefully	60	判	5	(刂)	ハン	seal

61	公	3	(ハ)	コウ	public	81	理	2	(王)	リ	logic
62	衆	5	(血)	シュウ	many	82	接	5	(扌)	セツ	to adjoin
63	首	2	(首)	くび	neck	83	無	5	(灬)	ム	to be non-existent
64	寒	3	(宀)	さむ (い)	cold	84	論	6	(言)	ロン	argument
65	骨	6	(骨)	ほね	bone	85	関	4	(門)	カン	barrier
66	身	3	(身)	み	body	86	係	3	(イ)	ケイ	charge
67	牛	2	(牛)	ギュウ	cow	87	当	2	(ソ)	あ (たる)	to hit
68	乳	6	(乚)	ニュウ	milk	88	断	5	(斤)	ダン	to refuse
69	砂	6	(石)	サ	sand	89	残	4	(歹)	のこ (す)	to leave
70	糖	6	(米)	トウ	sugar	90	伝	4	(イ)	つた (える)	to report
71	捨	6	(扌)	す (てる)	to throw away						
72	自	2	(自)	ジ	self						
73	司	4	(口)	シ	to manage						
74	員	3	(口)	イン	member						
75	育	3	(亠)	イク	to raise						
76	届	6	(尸)	とど (く)	to reach						
77	称	5	(禾)	ショウ	to praise						
78	句	5	(勹)	ク	line phrase						
79	謝	5	(言)	あやま (る)	to apologize						
80	原	2	(厂)	ゲン	original						

■ 練習 (れんしゅう)

一、次の言葉を、日本語で説明しなさい。

1. 敬語	11. 最も	21. 紹介
2. 丁寧 (ていねい)	12. 安全	22. 予定
3. 習う	13. 問題	23. 寒い (↔)
4. 口語 (↔)	14. 困る	24. 熱い (↔)
5. 徹底的 (てってい)	15. 特に	25. 上司
6. 不思議	16. 努力	26. 教育
7. 用いる	17. 授業	27. 直接 (↔)
8. うまい	18. 探す	28. 無論
9. ほめる (↔)	19. 観察	29. 関係
10. 目上 (↔)	20. 名刺 (めいし)	30. 判断

二、次の例 (つぎ れい) にならって、短文 (たんぶん) を作りなさい。

1. 〜したくてうずうずしている (p.34, ℓ.1)

・新しいスキーセットを買ったので、ジョンはスキーに行きたくてうずうずしている。

・日本に着いたばかりのナンシーは、富士山 (ふじさん) に登 (のぼ) りたくてうずうずしている。

・注文したピアノが届いたので、キムは弾 (ひ) きたくてうずうずしている。

2. 〜でもなければ・・・でもない (p.34, ℓ.4)

・あの人は、アメリカ人でもなければフランス人でもありません。ドイツ人ですよ。

・私のアパートは、大きくもなければ小さくもありません。

・あの学生は、この問題が分からないのに、調べるでもなければ先生に質問するでもない。

　本当に勉強する気があるのだろうか。

3. 〜したばかりだ (p.34, ℓ.7)

・今、学校から帰ったばかりです。

・習ったばかりなのに、もう忘れてしまいました。困りましたね。

・あの子供（こども）は、さっき泣（な）いたばかりなのにもう笑っています。

    食べたばかり　⟷　食べるばかり

    習ったばかり　⟷　習うばかり

    遊（あそ）んだばかり　⟷　遊（あそ）ぶばかり

4．〜しなくなる（p. 34, ℓ. 19）

・山田さんは、日本語で考えなくなったそうです。いつも英語を使っているからでしょう。

・ガンがこわいので、たばこを吸（す）わなくなりました。

・ワープロがあるので、タイプを使わなくなりました。

5．〜するようになる（p. 34, ℓ. 22）

・家族に手紙を書かないで電話するようになりました。

・目上の人に敬語を使うようになりました。

・あと何年日本語を勉強したら新聞が読めるようになりますか。

6．〜までに（p. 36, ℓ. 9）

・あしたまでにこのレポートを書かなくてはいけません。

・この電車が次の駅に着くまでに、この本を読んでしまいます。

・十時までにその会社へ行って、インタビューを受けて下さい。

    あしたまでに　⟷　あしたまで

    十時までに　⟷　十時まで

7．$\left\{ \begin{matrix} 〜を \\ 〜して \end{matrix} \right\}$ $\left\{ \begin{matrix} 差（さ）し上げる \\ 上げる \\ やる \end{matrix} \right\}$

・この牛乳を差（さ）し上げます。

・この牛乳を暖（あたた）めて差（さ）し上げます。

・おもしろい本を上げましょう。

・おもしろい本を買って上げましょう。

・犬にごはんをやりました。

・犬にごはんを作ってやりました。

8. { ～を / ～して } { 頂く / もらう }

・先生に日本の友達から来た手紙を読んで頂きました。

・先生に字引を頂きました。

・友達に作文を添削してもらいました。

・友達にきれいな人形をもらいました。

9. { ～を / ～して } { 下さる / くれる }

・先生は電話をかけて下さいました。

・先生は欲しかった本を下さいました。

・クラスメートは、今日の宿題を教えてくれました。

・姉は、高くて美しいスカーフをくれました。

10. ～させて { 頂く / 下さい } (p. 35, ℓ. 21)

・この仕事は、私にやらせて頂きます。

・せっかく日本語を勉強しているのですから、あいさつを日本語でさせて下さい。英語は使い

たくありません。

・よく分からないので、少し考えさせて下さい。

三、次の表を使って、尊敬語・謙譲語・丁寧語を勉強しなさい。

Ⅰ. 尊敬語・謙譲語とも、独自の形があるもの。

尊　敬　語	<ruby>基<rt>き</rt></ruby><ruby>本<rt>ほん</rt></ruby><ruby>形<rt>けい</rt></ruby>	<ruby>謙<rt>けん</rt></ruby><ruby>譲<rt>じょう</rt></ruby><ruby>語<rt>ご</rt></ruby>
おっしゃる (おっしゃって下さい　　)	言う (言って下さい　　　　　)	申す
(　　　　　　　　　　)	来る (　　　　　　　　　　)	
(　　　　　　　　　　)	行く (　　　　　　　　　　)	
(　　　　　　　　　　)	いる (　　　　　　　　　　)	
(　　　　　　　　　　)	する (　　　　　　　　　　)	
(　　　　　　　　　　)	<ruby>結婚<rt>けっこん</rt></ruby>する (　　　　　　　　　　)	
(　　　　　　　　　　)	食べる (　　　　　　　　　　)	
(　　　　　　　　　　)	飲む (　　　　　　　　　　)	
(　　　　　　　　　　)	見る (　　　　　　　　　　)	
(　　　　　　　　　　)	知っている (　　　　　　　　　　)	

Ⅱ. 尊敬語として、<ruby>独自<rt>どくじ</rt></ruby>の形のあるわけではないが、次の形が<ruby>可能<rt>かのう</rt></ruby>なもの。

$$\left.\begin{array}{l} 1) \ \text{お} + \boxed{V \text{pre-ます}} + \left\{\begin{array}{l} \text{になる} \\ (\text{なさる})\leftarrow\text{「〜になる」より}\underset{\text{せいやく}}{制約}\text{が多い。} \\ \text{だ} \end{array}\right. \\ 2) \ \underset{\text{じょうたいどうし}}{状態動詞}\text{以外の}\underset{\text{どうし}}{動詞}\text{の受け身形} \end{array}\right.$$

<ruby>謙譲語<rt>けんじょうご</rt></ruby>として、<ruby>独自<rt>どくじ</rt></ruby>の形があるわけではないが、次の形が<ruby>可能<rt>かのう</rt></ruby>なもの。

$$\text{お} + \boxed{V \text{pre-ます}} + \left\{\begin{array}{l} \text{する} \\ \underset{\text{いた}}{致}\text{す} \end{array}\right.$$

尊　敬　の　形	基　本　形 (き ほん けい)	謙　譲　の　形 (けん じょう)
お話しになる (お話しになって下さい)	話す (話して下さい　　　)	お話しする お話し致す (いた)
お話しなさる (お話しなさって下さい)		
お話しだ (お話し下さい　　　)		
(　　　　　　　)	伝える (　　　　　　)	
(　　　　　　　)	入る (　　　　　　)	入る
(　　　　　　　)	出る (　　　　　　)	出る
(　　　　　　　)	帰る (　　　　　　)	帰る
(　　　　　　　)	会う (　　　　　　)	
(　　　　　　　)	たずねる (　　　　　　)	
(　　　　　　　)	分かる (　　　　　　)	承知する (しょうち)
(　　　　　　　)	呼ぶ (　　　　　　)	
お電話なさる (　　　　　　　)	電話する (　　　　　　)	
(　　　　　　　)	電話をかける (　　　　　　)	
(　　　　　　　)	待つ (　　　　　　)	
(　　　　　　　)	聞く (　　　　　　)	

	あげる	
( )	( )	
	もらう	
( )	( )	

Ⅲ. 形容詞の丁寧な形
^{けいようし} ^{ていねい}

あの方は、 { 美しい　　　です。 ^{うつく}
　　　　　　お美しい　　　です。
　　　　　　お美しゅう　ございます。 }

（お）＋ { あい　　　→おう
　　　　　（高い　→高う）
　　　　　きい　　　→きゅう
　　　　　（大きい→大きゅう）
　　　　　しい　　　→しゅう
　　　　　（難しい→難しゅう）
　　　　　うい　　　→うう
　　　　　（安い　→安う） } ございます。

早いです。　　　　　お早うございます。

ありがたいです。　　ありがとうございます。

めでたいです。　　　おめでとうございます。

Ⅳ. 名詞の変化
^{めいし} ^{へんか}

私の家族	田中さんのご家族	私の家族	田中さんのご家族
祖父／ ^{そ ふ}		姉妹／ ^{し まい}	
祖母／ ^{そ ぼ}		子供／ ^{こ ども}	
父／ ^{ちち}		息子／ ^{むすこ}	
母／ ^{はは}		娘／ ^{むすめ}	
兄／ ^{あに}		孫／ ^{まご}	
姉／ ^{あね}		両親／ ^{りょうしん}	
弟／ ^{おとうと}		主人／ ^{しゅじん}	
妹／ ^{いもうと}		家内／ ^{か ない}	
兄弟／ ^{きょうだい}			

あの人→あの方　　　　だれ→ { どなた
　　　　　　　　　　　　　　 どなた様
　　　　　　　　　　　　　　 どちら様

四、次の下線の部分を、尊敬語・謙譲語・丁寧語などを使って書き換えなさい。

1. ウェイトレス　　いらっしゃいませ。何にしますか。

　　山　田　　　　田中さん、今日はぼくがおごりますよ。何を食べますか。

　　田　中　　　　そうですか。何だか悪いですねえ。じゃあ、遠慮なくごちそうになるとして、

　　　　　　　　　天ぷらでももらいますか・・・。

　　ウェイトレス　飲み物は、何を飲みますか。

　　田　中　　　　生ビールがいいですね。

　　山　田　　　　じゃあ、天ぷら定食を二つと生ビールをジョッキに二杯。

　　ウェイトレス　ビールは、キリン、アサヒ、サッポロ、サントリーがありますが、どれがいい

　　　　　　　　　でしょうか。

　　山　田　　　　そうだな、サッポロをお願いします。

　　ウェイトレス　天ぷら定食を二つと、サッポロ生ビールをジョッキに二杯ですね。分かりまし

　　　　　　　　　た。少々待って下さい。

　　ウェイトレス　待たせました。ご飯とお味噌汁は後からお持ちしますから、言って下さい。

2. うちの近所に三田という名前の人が住んでいます。この人は、会社に二時間もかけて通勤してい

　るので、朝早く家を出ます。いつ見かけても、忙しそうです。奥さんは、とても美しい人ですが、

　ちょっと寂しいようです。でも、子供が三人もいるので、寂しいかどうか考えている時間がないか

　も知れません。

3. きのうはロスへ行って、ＵＣＬＡの田山先生に会ってきました。田山先生は、いろいろなことを

　たくさん知っているから、先生の話を聞くのは本当に良い勉強になります。

4. 鈴木　　今日は随分寒いですねえ。

　　伊藤　　ええ、本当に。こんなに寒いと買い物に行くこともできず、困ってしまいます。

　　鈴木　　何を買うのですか。

伊藤　　今度娘が結婚することになりましたので、ちょっと・・・。

鈴木　　ああ、そうですか。それは、おめでとうございます。

伊藤　　ありがとうございます。

五、本文37ページと38ページにある会話をもとに、日本とアメリカにおける「言付け」「メッセージ」
　の内容の違いについて考えなさい。

六、次の部首について名前と意味を勉強し、その部首の使われている漢字を挙げなさい。

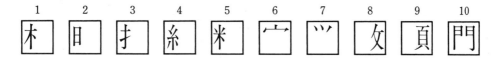

1	2	3	4	5	6	7	8	9	10
木	日	扌	糸	米	宀	灬	攵	頁	門

かねない＝ it might happen although you don't
want it to happen

LESSON 4　表面だけの西洋化

　ジョンのガールフレンドのメアリー・クラークは、山田家に家庭滞在をしている。

　メアリーは、小さい時から、日本は神秘の国だと思っていた。アメリカで上演される歌舞伎・能・狂言・文楽などの伝統芸術を見て、日本に興味を持つようになったが、日本の文化を理解するのは至難の業だと思っていた。

　メアリーが高校生になると、日本は突然ビジネスの国になった。トヨタ・ホンダ・ダットサンなどの小型自動車が人気を集めるようになり、アメリカの自動車工場は次々と閉鎖されて、労働者は日本を目のかたきにするようになった。三船敏郎の主演する黒沢監督の映画は、アメリカでも大変な人気であるが、大体は時代劇で、技術を売り物にする日本のことをいくら聞いても、侍のイメージしか沸かなかった。

　大学に入って初めて日本人と接する機会を得た。同時に、日本語も取り始めた。

　メアリーが興味を引かれたのは、日本女性の在り方である。アメリカにおける日本女性のイメージは、しとやかで家を守り、口に手を当ててほほえんでいる静かで優しい存在である。ビジネスマンや留学生の妻としてアメリカに来ている女性達には、そのようなイメージが確かに認められる。しかし、自ら留学生として渡米して来た女性達の中には、意欲的なタイプも多く見られる。しかも、この中には、親が見合いを勧めるからという理由で、さっさと留学生活を中断して日本へ戻った女性達もいるのである。

　メアリーは混乱した。一体どれが日本女性の本当の姿であろうか。日本へ一年留学することにした時、メアリーは家庭に住みこんでじっくり見きわめたいと思った。また、家庭に入った方が、アパートや寮に入るより、日本語が早く上達すると思った。

　日本へ出発する一カ月前に既にメアリーの受け入れ先が決定し、手紙と写真が交換された。山田家のご主人は誠一さんといい、銀行に勤めている。奥

さんは**里子**さんといい、**専業主婦**である。お子さんは二人で、**雪子**さんという高校生のお嬢さんと、一君という中学生の**息子**さんがいる。

　メアリーは、山田家の住所を見て心底驚いた。何と「〇〇マンション」とあるではないか。きっと、寝室が有り余っていて、自分を受け入れてくれるのだろうと思った。それにしても、この家族は本当に**幸**せなのだろうか。写　　　5
真はよく撮れているが、だれ一人としてうれしそうに笑っていないのである。

　成田空港に着いてみると、山田一家が迎えに来てくれていた。マンションに住んでいるのだから、さぞ立**派**な車を持っているだろうと思っていた。しかし、車はないとのことで、**荷物**はご主人と一君が持ってくれ、空港からバス・**汽**車・電車を乗りついて家へ**連**れていかれた。そして、驚いたことには、　　　10
マンションというのは、英語のmansionではなくcondominiumだったのである。
　驚きはさらに**続**いた。日本の家には畳が敷かれていると思っていたのに、山田さんのマンションにはカーペットが敷かれており、畳の部屋は一間しかなかった。メアリーに当てられた部**屋**は、四畳半の**洋**間で、**机**と本棚そして　　　15
ベットが、所狭しと**置**かれ息が**詰**まりそうだった。メアリーはがっかりした。

中村先生
　　拝啓

　　オースチンでは**色**々とありがとうございました。先生のおっしゃっていたとおり、日本人は大変親切なので**助**かっています。山田さん一家も、　　　20
とても親切にして下さっています。日本に来て三カ月たち、やっと落ち着いてきました。カルチャー・ショックも一**段**落しましたのでご安心下さい。

　　日本は、東洋のものと西洋のもの、**古**いものと新しいものが同居する

おもしろい国だと思います。木造建築を夢見て日本に来たので、洋風建築が多いのに驚かされました。欧米風の家やマンションを見ていると、一瞬どこにいるのか分からなくなることがあります。

　山田さんのマンションに入った時、畳ではなくてカーペットが敷かれているのを見て、がっかりしました。日本に来たのに、なぜアメリカにいた時と同じように暮らさなくてはいけないのだろう、と思うととたんに悲しくなりました。私の部屋にもカーペットが敷かれ、ベットが置いてあるのです。残念！

　ところが、よく観察してみると、日本的なものもたくさん残っていました。まず、玄関でくつをぬいでスリッパにはきかえる習慣。それから、一部屋しかありませんが、畳の部屋。ここには、ちゃんと床の間があり、花が生けてあります。

　ここのお母さんは、この和室で、生け花をしたりお茶をたてたりします。年配のお客さんが見えると、この部屋でもてなすそうです。そして、お客さんが泊まる時には、押し入れから布団を出して、ここで休んでもらうそうです。昔のように、畳の部屋を幾とおりにも使っています。

　浴室は日本式ですが、トイレは西洋式かつ日本式でおもしろいと思います。トイレのシートが、スイッチを入れると暖かくなるのです。お風呂に入るのにも順番があるのには、びっくりしました。

　食べ物も不思議です。朝ご飯にトーストと味噌汁と目玉焼が出ます。ここのお父さんは、納豆やたらこをはさんだサンドイッチが大好きで、日曜日で家でお昼を食べる時など、お母さんがよく作ります。お昼といえば、レストランや食堂のランチサービスに、コーヒーがついてきます。日本食の後でお茶ではなくてコーヒーというのが、とてもおもしろいと思います。この間、晩ご飯にパンと焼き魚が出てびっくりしましたが、食べてみるととてもおいしかったです。ハンバーグも、野菜が入ってい

てちょっと変わっています。

　ここのお母さんは料理が上手で、毎日色々なものを作って下さいます。味付けも、日本料理・中華料理・西洋料理というふうに毎日変化するので、晩ご飯が本当に楽しみです。

　ここの雪子ちゃんと一君は、家にいる時はジーパンとＴシャツばかり 5 着ていて、アメリカの子供と変わりません。お母さんは、ふだんブラウスとスカートを愛用していますが、時々スラックスをはきます。この間着物を見せて頂きましたが、大変きれいでした。ちょっと改まった機会に着るそうです。そして、お正月は着物に限るそうです。

　例を挙げるときりがありませんが、日本の本当の良さ・おもしろさと 10 は、「良いと思われる新しいものが次々と取り入れられている反面、古くて良いものもたくさん残っている」という状態だと思います。外国のものを日本の心と技術で改良して、日常生活の中で使っています。

　先生、アメリカでは、どうして侍映画や伝統芸術しか紹介されないのでしょうか。なぜ本当の今の姿が紹介されないのでしょうか。 15

　お暇な時にでもお便り下さい。どうぞお体をお大事に。みなさんによろしく。

かしこ

メアリー・クラーク

■ 語彙
ご い

L. 4-2 (p. 55)

～家 *け*	the...s	次々と *つぎつぎ*	one after another
滞在 *たいざい*	stay (Also see L.1-5)	閉鎖する *へいさ*	to close, to shut down
小さい *ちい*	small	労働者 *ろうどうしゃ*	worker
神秘 *しんぴ*	mystery	目のかたき *め*	enemy
上演する *じょうえん*	to perform	主演する *しゅえん*	to play a role of hero(ine), to feature
歌舞伎 *かぶき*	Kabuki		
能 *のう*	Noh	監督 *かんとく*	director
狂言 *きょうげん*	Kyogen	映画 *えいが*	film
文楽 *ぶんらく*	Bunraku	時代 *じだい*	period
伝統 *でんとう*	tradition	劇 *げき*	play, drama
芸術 *げいじゅつ*	art	時代劇 *じだいげき*	priod play, samurai drama
興味 *きょうみ*	interest		
文化 *ぶんか*	culture	技術 *ぎじゅつ*	technique
理解 *りかい*	understanding	売り物 *う もの*	selling point, characteristic
至難の業 *しなん わざ*	most difficult work		
高校生 *こうこうせい*	(senior) high school student	侍 *さむらい*	samurai, warrior
		イメージ	image
突然 *とつぜん*	all of a sudden	沸く *わ*	to spring, to flow out
小型 *こがた*	compact		
自動車 *じどうしゃ*	automobile	初めて *はじ*	for the first time
人気 *にんき*	popularity	接する *せっ*	to come into contact with
集める *あつ*	to collect	得る *え*	to gain
工場 *こうじょう*	factory	同時に *どうじ*	at the same time simultaneously

ひ引く	to pull, to attract	ちゅうだん中断する	to interrupt
あ かた在り方	the way it is	もど戻る	to return
～における	at, in	こんらん混乱する	to get confused
しとやか	graceful	ほんとう本当	real
いえ家	house	すがた姿	appearance
まも守る	to protect	す住みこむ	to live in
くち口	mouth	じっくり	closely
て手	hand	み きわ見極める	to examine thoroughly
あ当てる	to cover...with---	りょう寮	dormitory
しず静か	quiet	じょうたつ上達する	to imprpve
そんざい存在	existence	しゅっぱつ出発する	to depart, to leave
ビジネスマン	businessman	すで既に	already
りゅうがくせい留学生	exchange student	う い受け入れる	to accept
つま妻	wife	けってい決定する	to decide
たし確か	for sure	しゃしん写真	picture
みと認める	to recognize	こうかん交換	to exchange
みずか自ら	by oneself	しゅじん主人	husband
と べい渡米する	to go to the U.S.	せいいち誠一	Seiichi
い よくてき意欲的	positive, willing	ぎんこう銀行	bank
タイプ	type	つと勤める	to work for
み あ見合い	interview with a prospective spouse	おく奥さん	wife
り ゆう理由	reason		

L. 4-3 (p. 56)

さっさと	quickly
せいかつ生活	life

さと里子	Satoko
せんぎょう専業	full-time

しゅふ 主婦	housewife	でんしゃ 電車	train(short distance)
ゆき 雪子	Yukiko	の 乗りつぐ	to transfer
こ お子さん	children	っ 連れていく	to take
こうこう 高校	senior high school	つづ 続く	to continue
こうこうせい 高校生	senior high school student	たたみ 畳	tatami mat
じょう お嬢さん	daughter	し 敷く	to spread
はじめ 一	Hajime	カーペット	carpet
ちゅうがく 中学	junior high school	へや 部屋	room
ちゅうがくせい 中学生	junior high school student	ひとま 一間	one room
むすこ 息子さん	son	あ 当てる	to allot
じゅうしょ 住所	address	いちじょう 一畳	one mat
しんそこ 心底	wholehearted	ようま 洋間	Western-style room
マンション	condominium	つくえ 机	desk
しんしつ 寝室	bedroom	ほんだな 本棚	bookcase
あ あま 有り余る	to have a surplus	ベット	bed
しあわ 幸せ	happiness	せま 狭い	narrow, crowded
くうこう 空港	airport	お 置く	to put, to place
むか 迎える	to welcom	いき 息	breath
さぞ～だろう	it must surely be the case that...	っ 詰まる	to choke
りっぱ 立派	magnificent	がっかりする	to be disappointed
くるま 車	car	はいけい 拝啓	Dear
に もつ 荷物	luggage, baggage	いろいろ 色々	various
き しゃ 汽車	train(long distance)	たす 助かる	to be saved
		～さん一家 いっか	...'s family
		たつ	to pass

やっと	finally
カルチャーショック	culture shock
<ruby>一段落<rt>いちだんらく</rt></ruby>する	to get settled for the time
<ruby>東洋<rt>とうよう</rt></ruby>	East
<ruby>西洋<rt>せいよう</rt></ruby>	West
<ruby>古<rt>ふる</rt></ruby>い	old
<ruby>新<rt>あたら</rt></ruby>しい	new

L. 4-4 (p. 57)

<ruby>木造<rt>もくぞう</rt></ruby>	wooden
<ruby>建築<rt>けんちく</rt></ruby>	building
<ruby>夢見<rt>ゆめみ</rt></ruby>る	to dream
<ruby>洋風<rt>ようふう</rt></ruby>	Western style
<ruby>欧米<rt>おうべい</rt></ruby>	Europe and the U.S.
<ruby>一瞬<rt>いっしゅん</rt></ruby>	for a moment
<ruby>暮<rt>く</rt></ruby>らす	to live
<ruby>悲<rt>かな</rt></ruby>しい	sad
<ruby>残念<rt>ざんねん</rt></ruby>	sorry, disappointing
たくさん	many
<ruby>残<rt>のこ</rt></ruby>る	to remain
<ruby>玄関<rt>げんかん</rt></ruby>	entrance
くつ	shoes
ぬぐ	to take off
スリッパ	slippers
はく	to wear

<ruby>習慣<rt>しゅうかん</rt></ruby>	custom
<ruby>床<rt>とこ</rt></ruby>の<ruby>間<rt>ま</rt></ruby>	alcove
<ruby>花<rt>はな</rt></ruby>	flower
<ruby>生<rt>い</rt></ruby>ける	to arrange (flowers)
お<ruby>母<rt>かあ</rt></ruby>さん	mother
<ruby>和室<rt>わしつ</rt></ruby>	Japanese-style room
<ruby>生<rt>い</rt></ruby>け<ruby>花<rt>ばな</rt></ruby>	flower arrangement
<ruby>茶<rt>ちゃ</rt></ruby>	tea
<ruby>茶<rt>ちゃ</rt></ruby>をたてる	to make tea
<ruby>年配<rt>ねんぱい</rt></ruby>	age
<ruby>客<rt>きゃく</rt></ruby>	guest
もてなす	to treat, to entertain
<ruby>泊<rt>と</rt></ruby>まる	to stay overnight
<ruby>押<rt>お</rt></ruby>し<ruby>入<rt>い</rt></ruby>れ	closet
<ruby>布団<rt>ふとん</rt></ruby>	bed quilts, futon
<ruby>出<rt>だ</rt></ruby>す	to take out
<ruby>休<rt>やす</rt></ruby>む	to rest, to sleep
<ruby>昔<rt>むかし</rt></ruby>	ancient
<ruby>浴室<rt>よくしつ</rt></ruby>	bathroom
~<ruby>式<rt>しき</rt></ruby>	...style
トイレ	toilet
シート	seat
スイッチ	switch

暖い あたたか	warm
風呂 ふろ	bath
順番 じゅんばん	order
びっくりする	to be surprised
食べ物 た もの	food
朝ご飯 あさ はん	breakfast
トースト	toast
味噌汁 み そ しる	miso soup
目玉焼 め だまやき	sunny side up
お父さん とう	father
納豆 なっとう	fermented soybeans
たらこ	cod roe
はさむ	to close together
サンドイッチ	sandwich
日曜日 にちようび	Sunday
昼 ひる	lunch
レストラン	restaurant
食堂 しょくどう	restaurant
ランチサービス	lunch service, lunch special
日本食 に ほんしょく	Japanese food
晩ご飯 ばん はん	dinner
パン	bread
焼き魚 や ざかな	broiled fish
ハンバーグ	hamburger steak

野菜 や さい	vegetable

L. 4-5 (p. 58)

変わっている か	different
料理 りょうり	cooking, cuisine
毎日 まいにち	everyday
味付け あじ つ	seasoning
中華料理 ちゅうかりょうり	Chinese cuisine
変化する へんか	to change
楽しみ たの	pleasure
ジーパン	jeans
Tシャツ	T shirt
子供 こ ども	child
ブラウス	blouse
ふだん	usually
スカート	skirt
愛用する あいよう	to use regularly
時々 ときどき	sometimes
スラックス	pants
着物 き もの	kimono, Japanese- style clothes
きれい	pretty
改まった あらた	formal
限る かぎ	to be the best for
例 れい	example
挙げる あ	to present, to give

例を挙げる	to take an example	応接間	living room
きりがない	endless	寝室	bedroom
取り入れる	to adopt	書斎	study
反面	on the contrary	縦	vertical
状態	situation	縦書き	vertical writing
心	heart	見かける	to see
改良	improvement	吸収	to absorb
日常生活	everyday life	表面	surface
暇	free time	慣れる	to get used to
便り	letter	気付く	to notice
体	body	具体例	concrete example
大事	important	スペース	space
みなさん	everyone (Also see L. 2-6)		
～によろしく	please extend my wishes to...		
かしこ	sincerely yours		

＜練習で使われている語句＞

住宅	residence, house
見取り図	sketch, floor plan
トイレ	toilet
洗面	washing one's face
台所	kitchen
食堂	dining room
居間	living room / family room

■ 新出漢字

1	在	5	(ナ)	ザイ あ (る)	to exist	21	劇	6	(リ)	ゲキ	drama
2	神	3	(ネ)	シン	god	22	技	5	(扌)	ギ	skill
3	演	5	(氵)	エン	to perform	23	売	2	(士)	う (る)	to sell
4	能	5	(ム)	ノウ	the Noh ability	24	得	5	(イ)	え (る)	to obtain
5	楽	2	(木)	ラク, ガク	pleasure music	25	守	3	(宀)	まも (る)	to protect
6	統	5	(糸)	トウ	to control	26	静	4	(青)	しず (か)	quiet
7	芸	4	(艹)	ゲイ	arts	27	存	6	(ナ)	ソン	to exist
8	術	5	(イ)	ジュツ	art means	28	確	5	(石)	たし (か)	sure
9	興	5	(ハ)	キョウ	interest	29	認	6	(言)	みと (める)	to recognize
10	化	3	(イ)	カ	to take the form of	30	米	2	(米)	ベイ	rice America
11	至	6	(至)	シ	to reach	31	由	3	(田)	ユウ	reason
12	然	4	(灬)	ゼン	yes, but	32	活	3	(氵)	カツ	energy
13	型	4	(土)	かた	model	33	混	5	(氵)	コン	to mix
14	動	3	(力)	ドウ	to move	34	乱	6	(舌)	ラン	to be disordered
15	集	3	(隹)	あつ (める)	to collect	35	姿	6	(女)	すがた	figure
16	工	2	(工)	コウ	construction	36	決	3	(氵)	ケツ	to decide
17	閉	6	(門)	ヘイ	to close	37	写	3	(冖)	シャ	to copy
18	働	4	(イ)	ドウ	to work	38	真	4	(十)	シン	truth
19	映	6	(日)	エイ	to project on a screen	39	誠	6	(言)	セイ	sincerity
20	画	2	(一)	ガ	picture	40	銀	3	(金)	ギン	silver

41	里	2	(里)	さと	village country	61	段	6	(殳)	ダン	step
42	専	6	(寸)	セン	exclusive	62	古	2	(十)	ふる (い)	old
43	婦	5	(女)	フ	woman	63	造	5	(辶)	ゾウ	structure
44	雪	2	(雨)	ゆき	snow	64	築	5	(竹)	チク	to build
45	息	3	(心)	息子(むすこ), いき	breath son	65	風	2	(風)	フウ	wind style
46	幸	3	(土)	しあわ (せ)	happiness	66	悲	3	(心)	かな (しい)	sad
47	成	4	(戈)	な (る)	to consist of	67	念	4	(心)	ネン	feeling
48	港	3	(氵)	コウ	harbor	68	慣	5	(忄)	カン	to get accustomed to
49	派	6	(氵)	ハ	group	69	母	2	(母)	はは	mother
50	荷	3	(艹)	ニ	load	70	和	3	(禾)	ワ	Japan
51	汽	2	(氵)	キ	steam	71	茶	2	(艹)	チャ	tea
52	連	4	(辶)	つ (れる)	to take	72	客	3	(宀)	キャク	guest
53	続	4	(糸)	つづ (く)	to continue	73	浴	4	(氵)	ヨク	to bathe oneself in
54	屋	3	(尸)	や	shop	74	式	3	(弋)	シキ	style
55	洋	3	(氵)	ヨウ	ocean	75	西	2	(西)	セイ, サイ	west
56	机	6	(木)	つくえ	desk	76	順	4	(川)	ジュン	order
57	置	4	(罒)	お (く)	to put	77	玉	2	(王)	たま	round object
58	拝	6	(扌)	ハイ	to worship	78	焼	4	(火)	や (く)	to fry to broil
59	色	2	(色)	いろ	color	79	父	2	(父)	お父(とう)さん	father
60	助	3	(且)	たす ({ける / かる})	to help	80	曜	2	(日)	ヨウ	term used for days of the week

81	昼	2	(尸)	ひる	noon
82	堂	4	(ツ)	ドウ	hall
83	魚	2	(魚)	さかな	fish
84	野	2	(里)	ヤ	field
85	菜	4	(艹)	サイ	greens
86	料	4	(米)	リョウ	materials
87	毎	2	(母)	マイ	every (prefix)
88	付	4	(イ)	つ (ける)	to attach
89	愛	4	(心)	アイ	love
90	改	4	(己)	カイ あらた ({まる／める})	to reform
91	限	5	(阝)	かぎ (る)	to limit
92	例	4	(イ)	レイ	example
93	面	3	(一)	メン	phase
94	態	5	(心)	タイ	state of affairs

■ 練習
れんしゅう

一、次の言葉を日本語で説明しなさい。

1. 伝統	16. 勤める	31. もてなす
2. 興味	17. 迎える（むか）	32. 休む
3. 人気	18. 立派	33. ご飯
4. 工場	19. 荷物	34. 昼
5. 劇	20. 連れる	35. 料理
6. 守る	21. 洋間 (↔)	36. 変化
7. 妻 (↔)（つま）	22. 助かる	37. 時々
8. 確か	23. たつ	38. 例
9. 認める	24. やっと	39. 暇（ひま）
10. 理由	25. 暮らす（く）	40. 大事
11. 生活	26. 悲しい (↔)	
12. 戻る（もど）	27. 残念	
13. 本当 (↔)	28. 残る	
14. 出発	29 まず	
15. 交換（こうかん）	30. 習慣	

二、次の例にならって、短文を作りなさい。
たんぶん

1. ～と思って $\left\{ \begin{array}{c} いる \\ いた \end{array} \right\}$ (p. 55, ℓ. 3)

・私は、アメリカはカウボーイの国だと思っていました。

・日本人は今でも着物を着て人力車に乗っている、と思っているアメリカ人がいます。
じんりきしゃ

・アラスカは大変寒い所だと思っていましたが、生活してみると住みやすい所ですよ。

2．～は・・・を $\left\{\begin{array}{l}\text{目のかたき}\\\text{売り物}\end{array}\right\}$ にしている　(p. 55, ℓ. 8, 10)

　　・アメリカはソ連を目のかたきにしているようですが、どう思いますか。

　　・ラスベガスは、ギャンブルとショーを売り物にしている。

　　・このレストランは、ヨーロッパ風のインテリアを売り物にしている。

3．$\left\{\begin{array}{l}\text{いくら}\\\text{いつ}\\\text{何度}\\\text{どこ}\\\vdots\end{array}\right\}$ ～しても　(p. 55, ℓ. 10)

　　・あのレストランは安くておいしいので、いつ行ってもお客でいっぱいだ。

　　・この言葉は、何度聞いても覚えられない。

　　・連休になると、どこに行っても満員だ。

4．～して初めて・・・する　(p. 55, ℓ. 12)

　　・友達が笑っているのを見て初めて、自分が変なことを言ったことが分かった。

　　・説明を聞いて初めて誤解が解けた。

　　・日本へ行って初めて畳の上に寝た。

5．～という理由で・・・する　(p. 55, ℓ. 19)

　　・時間がないという理由で予習してこないのは、困りますね。

　　・会話だけ勉強できればよいという理由でローマ字で日本語を習っている人もいます。

　　・結婚するという理由で会社を辞める若い女性が多いのは残念だ。

6．～する方が・・・するより ── 　(p. 55, ℓ. 23)

　　・この車は大分古いので、直すより新しいのを買った方が安いと思います。

　　・ご飯を作るよりご飯を食べる方がいい。

　　・テニスをする方がプロのテニスを見るよりおもしろい。

7．〜だから、さぞ・・・だろう （p.56, ℓ.8）

　　・あの人は体が大きいから、さぞたくさん食べるだろう。

　　・川田さんは英語を勉強しなかったから、アメリカに来てさぞ困っているでしょう。

　　・このごろ円が強いから、日本からの旅行者（りょこうしゃ）がさぞ増えるだろう。

8．〜を夢（ゆめ）見て・・・する （p.57, ℓ.1）

　　・プロになるのを夢（ゆめ）見て、一日五時間テニスの練習（れんしゅう）をしています。

　　・日本へ行ける日を夢（ゆめ）見て、日本語を勉強する。

　　・スターになるのを夢（ゆめ）見て、オーデションを受けた。

9．〜することがある （p.57, ℓ.3）

　　・友達の車を運転（うんてん）することがありますか。

　　・私のルームメートは、突然（とつぜん）ボーイフレンドを食事に連れてくることがある。

　　・森村さんはガイドのアルバイトをすることがあるそうです。

10．〜は・・・に限る （p.58, ℓ.9）

　　・パーティーは、金曜日か土曜日の夕方に限ります。

　　・サンクスギビングは、七面鳥（しちめんちょう）のディナーに限ります。

　　・ワインは、カリフォルニアワインに限ります。ドイツやオーストリアのワインよりずっと安

　　　くておいしいですよ。

三、日本の住宅（じゅうたく）

見取り図（ず）

洋間↔日本間／洋室↔和室／玄関（げんかん）／ホール＝廊下（ろうか）／階段（かいだん）／トイレ＝（お）手洗い（あら）（便所）／洗面（せんめん）所（じょ）／浴室＝（お）風呂（ふろ）／ＤＫ＝ダイニングキッチン／台所（だいどころ）／食堂／居間＝茶の間／応接間／寝室（しんしつ）／子ども部屋／書斎（しょさい）＝勉強部屋／〜の部屋／押し入れ（おい）／床の間（とこま）

四、手紙について

本文56ページから58ページの手紙を縦書きにすると、次のようになる。

中村先生　　十二月一日　　メアリー・スミス　かしこ　　　　　　　　　　　　　　　　　　　　　　　　　　　　　　　　　　　拝啓　オースチンでは

手紙の初め	手紙の終わり
拝啓	敬具 （男性）
	かしこ （女性）
拝復	〃
前略	草々

五、私達が見かける日本人は、大体留学生として同じキャンパスで勉強している人達です。この人達は、アメリカの文化を吸収しようと大変な努力をしています。今まで、このような留学生と付き合う機会がありましたか。そして、表面では大分慣れているように見えても、「ああ、この人はやはり日本人なのだ」と気付かされたことがありますか。具体例をあげて説明しなさい。

六、本文を基に、アメリカの住宅と日本の住宅のスペースの使い方の違いについて考えなさい。

七、次の表現を勉強しなさい。

1. 敷居が高い

2. 玄関払いを食わせる

3. 間口を広げる

4. マイホーム主義

5. ベットタウン

八、次の部首について名前と意味を勉強し、その部首の使われている漢字を挙げなさい。

1	2	3	4	5	6	7	8	9	10
ネ	石	金	土	女	忄	尸	灬	雨	罒

LESSON 5　忙しい日本の主婦

山田家のお母さんは、実によく働く。

朝誰よりも早く起きて部屋を暖め、朝食を準備し、お弁当を二つ作る。六時半になると、お父さんを起こしに行く。お父さんの銀行は、電車とバスで一時間半かかるので、七時半までに家を出ないと、九時からの始業に間に合わない。お父さんは、朝刊を読みながら、朝ご飯を食べる。

七時十分前になると、子供達を起こしに行く。雪子ちゃんも一君も夜遅くまで勉強しているので、朝はなかなか起きられない。十分ごとに様子を見に行くが、七時二十分になってもまだ起きていない場合、雷が落ちる。

支度の出来次第テーブルに着くが、トーストも自分で作るのではなく、お母さんが全部やってあげる。

お父さんが出掛ける時が大変だ。衣服は、ワイシャツ・ネクタイ・靴下そしてズボン・上着に至るまで、お母さんが選んで出しておいたのをお父さんが着る。その間、お母さんはお父さんに付き切りである。

みんなが出掛けて一段落すると、朝の連続テレビ小説を見ながら、朝ご飯を一人で食べる。そして、皿洗いを済ませてから、掃除・洗濯に取り掛かる。洗濯機は「半自動」と呼ばれるもので、洗濯機から離れたままでいるわけにはいかない。乾燥機がないので、洗った物をベランダの物干しざおに干している。

お昼は、インスタント・ラーメンかちょっと軽いスナック程度。

夕方、近くのスーパーへ買い物に出かけ、二時間近くかけて晩ご飯を作る。冷凍食品は原則として使わない。晩ご飯は大体七時ごろから、と少し遅いが、七時にならなければ雪子ちゃんや一君が塾から帰って来ないからである。お父さんは、残業・接待・付き合いと忙しく、早くても九時、遅い時には深夜にならなければ帰って来ない。お父さんが戻るまで夕食を待っているわけにはいかないので、七時ごろから食べ始める。

八時ごろから、子供達はお風呂に入ったり勉強を始めたりする。お母さんは、

一人で後片付けをする。お皿を洗い、ゴミを生ゴミ・燃える物・燃えない物と分けてビニールの袋に入れる。

　お父さんが帰宅すると、お母さんはほっとする。玄関の戸締まりができるからである。その日のお父さんのおなかのすき加減で、夕食を暖め直して出す。この時ぐらいである、二人がゆっくり話せるのは。お父さんの帰りが遅い時　　5
には、お母さんは起きて待っている。

　掃除・洗濯・炊事・買い物を毎日する生活——メアリーは、とても日本の主婦は務まらないと思う。

メアリー　お母さんは、なぜ全自動の洗濯機をお買いにならないんですか。

里　子　半自動がまだ使えるからよ。しかも、半自動だと同じ洗濯液を何度　　10
　　　　　も使えるし、お風呂のお湯も使えるので、資源の無駄使いにならないの
　　　　　よ。汚れの少ないものから順に、同じ洗濯液で洗えるというのは、
　　　　　とっても経済的なのよ。デパートの電気器具コーナーへ行ってごら
　　　　　んなさい。全自動よりも半自動の方が多いくらいよ。

メアリー　だって、お母さんの時間がもったいないじゃありませんか。簡単な　　15
　　　　　ことは機械に任せてもいいと思いますけど。

里　子　私は専業主婦だから、時間だけはあるのよ。

メアリー　では、乾燥機は。

里　子　赤ちゃんや寝たきりのお年寄りがいるわけじゃないのよ。第一、電気
　　　　　がもったいないわ。せっかく太陽が出ているんだから、天日に干し　　20
　　　　　た方が健康的だし気分も良いでしょ。

メアリー　でも、物干しざおに毎日干すのも大変ですよね。

里　子　仕方がないわよ。

メアリー　・・・。ねえ、お母さん、お母さんはどうして毎日夕食の買い物にい
　　　　　らっしゃるんですか。冷蔵庫が小さくて、一日分の食料しか入らな　　25

いからですか。

里　子　それもあるわね。

メアリー　だったら、どうして大きい冷蔵庫をお買いにならないのでしょう。アメリカでは、普通週に一回しか買い物に行かないんですよ。

5　里　子　あら、そうなの。でも、何でも毎日買う方が新しくておいしい物が手に入るのよ。特に野菜は、日によって値段の変動が激しいから、その日に何が安いかによって夕飯の献立を考えるのよ。魚や肉は店に来る時、ほとんど冷凍されていて、それをお店の人は解凍して売っているの。だから、買った物を冷凍して保存するということは、

10　二重冷凍することになって本当にまずくなるわ。

メアリー　では、おかずの冷凍物はいかがですか。フライドチキンや魚のフライの冷凍があると便利ですよ。

里　子　あのね。私は主婦なのよ。お父さんの稼いできたお金で何とかやりくりするのが、主婦の仕事なの。二十四時間家にいてみんなの世話

15　をして、毎日できるだけ新しい物をおいしく心をこめて作るのよ。それに、冷凍食品なんか使うと、「冷凍食品を出して平気でいる女は心も冷たい」と言われるのがおちよ。こちらも罪の意識を感じるしね。

メアリー　ええっ。

20　里　子　私も以前はどうにかならないかしらって考えたわ。でも、結局、どうにもならないのよ。

メアリー　・・・。結婚前は、何をしていらっしゃったんですか。

里　子　花嫁修業をしていた、と言いたいところだけど、会社で働いていたの。結婚退職したのよ。

25　メアリー　結婚してからも働き続けるのは、不可能なんですか。

里　子　不可能っていうことはないでしょうけれど、辞めるのが普通だっ

たのよ、あのころは。それに、お父さんの肩身が狭くなるし……。

メアリー　どうして肩身が狭くなるんですか。有能な奥さんを持って、自慢できるじゃありませんか。

里　子　ほほほ、そういうの、アメリカ式なの。日本では、「女房を働かせているやつに、ろくなやつはいない」という風潮があって、お父さんは大反対だったのよ。そうそう、お隣の中村さんを知っているでしょう。あそこでは、奥さんがご主人の反対を押し切って働き続けているから、大変よ。一日働いてきて、家事を全部するんだもの。 5

メアリー　ご主人は、手伝わないんですか。

里　子　手伝うもんですか。「女房を働かせてやっている」っていう頭があるし、奥さんも「働かせてもらっている」と思っているから、悪くてご主人に頼めないのよ。 10

メアリー　でも、中村さんの奥さんは、収入があるから家計を助けているんですよね。

里　子　それはそうだけど・・・。私、週一回カルチャーセンターに行って英会話を習っているでしょ。一が中学に行くようになって、ほっとしたとたん、とてもむなしくなったのよ。今まで何をしてきたのだろう、と思ってね。 15

メアリー　分かるような気がします。

里　子　今何かを始めなければ、雑用に追われる生活から永久に抜け出せないと気付いて、泣きたくなったわ。子供のためにＰＴＡの役員や委員をやったことはあるけど、何かが欠けているの。そこで、取りあえず英会話を始めることにしたんだけど、授業料が気になってね。 20

メアリー　？

里　子　一家の財布を預かっている身としては、それでなくてもローンだ塾だと出費がかさんで頭が痛いのに、自分のおけいこごとにお金をさ 25

くのはつらいのよ。だからパートに出て、せめて英会話の分だけで
も稼ごうと思ったの。

メアリー　何か見つかりましたか。

里　子　ううん、四十過ぎた家庭の主婦には、保険のセールスかスーパーの

5　　　　レジぐらいの仕事しかなくてね。お父さんに相談したら、「みっと
もないからよせ」って怒られちゃった・・・。私だって短大ぐらい出
ているのに・・・。本当に情けないわ。メアリー、アメリカって、いいわ
ね。この前の選挙で民主党の副大統領候補に指名されたジェラルデ
ィン・フェラーロのような人を見ていると、つくづくそう思うわ。

10　メアリー　お母さん、私の祖母は七十ですけど、お母さんと同じことを言って
いますよ。

里　子　そうなの。

メアリー　ええ。娘の時は、良い妻・良い母になることが大切だと教えられ、
一生懸命主婦業に打ちこみ、子供が成長するにつれ、ウーマンリブ

15　　　　も台頭し始め、ここ十年余りの間に専業主婦イコール無能力者のレ
ッテルを張られてしまった。本当にむなしくなる、と言っています
よ。

里　子　じゃ、日本も雪子がお嫁に行くころまでに、少しは変わるかしら。

メアリー　そう思いますけど・・・。今のままでも、日本の専業主婦の方がアメ

20　　　　リカの専業主婦よりずっと幸せですよ。日本は、女性が家計を握っ
ているんですから。

■ 語彙
ごい

L. 5－2 (p. 75)

実に じっ	indeed, really	衣服 いふく	clothes
働く はたら	to work	ワイシャツ	shirt
早い はや	early	ネクタイ	necktie
起きる お	to get up	靴下 くつした	socks
暖める あたた	to warm up	ズボン	pants
朝食 ちょうしょく	breakfast	上着 うわぎ	jacket
準備 じゅんび	preparation	至る いた	to extend
弁当 べんとう	(box) lunch	選ぶ えら	to choose
始業 しぎょう	commencement of work	付き切り つ き	in constant attendance
間に合う ま あ	to be in time	連続 れんぞく	continuation
朝刊 ちょうかん	morning edition	テレビ	television
子供 こ ども	children (Also see L.4-10)	小説 しょうせつ	novel
夜 よる	night	皿 さら	dishes
遅い おそ	late	洗う あら	to wash
なかなか	hardly	掃除 そうじ	cleaning, sweeping
様子 ようす	appearance	洗濯 せんたく	laundry
雷 かみなり	thunder	取り掛かる と か	to begin
落ちる お	to fall	洗濯機 せんたくき	washing machine
支度 し たく	preparation	半自動 はんじ どう	semi automatic
次第 し だい	as soon as	離れる はな	to stay away, to separate
テーブル	table		
全部 ぜんぶ	everything	〜したままでいる	to stay in the situation of …

乾燥機 (かんそうき)	dryer
ベランダ	veranda, balcony
物干しざお (ものほ)	clothes pole
干す (ほ)	to dry, to air
さお	pole, rod
インスタント・ラーメン	instant (Chinese style) noodles
スナック	snack
冷凍 (れいとう)	frozen
食品 (しょくひん)	food
原則 (げんそく)	rule
塾 (じゅく)	private school that meets after school, after-school-special
残業 (ざんぎょう)	overtime work
接待 (せったい)	reception, entertainment
付き合い (つ あ)	association
深夜 (しんや)	midnight

L. 5−3 (p. 76)

後片付け (あとかたづ)	clearance work
ゴミ	garbage, trash
生ゴミ (なま)	garbage
燃える (も)	to flame
物 (もの)	goods, item

分ける (わ)	to separate
ビニール	plastic
袋 (ふくろ)	bag
帰宅する (きたく)	to return home
戸締まり (とじ)	to lock up the house
おなか	stomach
空く (す)	to become empty
加減 (かげん)	condition
〜し直す (なお)	to do ... again
出す (だ)	to serve (Also see L. 4-9)
炊事 (すいじ)	cooking
務まる (←務める) (つと)	to play a role of)
全自動 (ぜんじどう)	full automatic
しかも	furthermore
洗濯液 (せんたくえき)	water with laundry detergent
湯 (ゆ)	hot water
資源 (しげん)	resources
無駄使い (むだづか)	waste
汚れ (よご)	dirt, filth
少ない (すく)	a few
順 (じゅん)	order
経済的 (けいざいてき)	economical
電気 (でんき)	electricity

でんききぐ 電気器具	electric equipment & supplies	にく 肉	meat
		みせ 店	store
コーナー	corner	ほとんど	almost
もったいない	wasteful	かいとう 解凍	to thaw
かんたん 簡単	simple (Also see L.1-6)	う 売る	to sell
きかい 機械	machine	ほぞん 保存する	to keep
まか 任せる	to leave	にじゅう 二重	double
あか 赤ちゃん	baby	まずい	unsavory
としよ 年寄り	elderly people	おかず	dishes
だいいち 第一	first of all	れいとうもの 冷凍物	frozen food
たいよう 太陽	sun	フライド・チキン	fried chichen
てんぴ 天日	sunshine	かせ 稼ぐ	to earn
けんこうてき 健康的	healthy, sound	なん 何とか	somehow
し かた 仕方がない	cannot be helped	やりくり	management, makeshift
れいぞうこ 冷蔵庫	refrigerator	しごと 仕事	job

L. 5—4 (p. 77)

しゅう 週	week	できるだけ	as ... as I can
いっかい 一回	once	心をこめる	to give one's whole heart
あら	well	へいき 平気	composure, unconcern
ね だん 値段	price	つめ 冷たい	cold
へんどう 変動	fluctuation	おち	bound to end up
はげ 激しい	intense	つみ 罪	sin
やす 安い	inexpensive, cheap	いしき 意識	consciousness
ゆうはん 夕飯	dinner	い ぜん 以前	before
こんだて 献立	menu	けっきょく 結局	in the end

けっこん 結婚	marriage	たす 助ける	to help
はなよめ 花嫁	bride	カルチャーセンター	culture center
しゅぎょう 修業	training	えいかいわ 英会話	English conversation
たいしょく 退職	retirement	むなしい	empty, vacant
～し続ける	to contine to ...	ざつよう 雑用	odds and ends
ふ か のう 不可能	impossible	お 追う	to chase
や 辞める	to resign	えいきゅう 永久	eternity

L. 5-5 (p. 78)

かた 肩	shoulder	ぬ だ 抜け出す	to get out, to escape
かた み せま 肩身が狭い	to feel small	き づ 気付く	to notice
ゆうのう 有能	capable	な 泣く	to cry
じ まん 自慢する	to brag	ビー・テー・エー PTA	PTA
アメリカ式	American way	やくいん 役員	officer
にょうぼう 女房	wife	い いん 委員	committee member
やつ	fellow, guy	か 欠けている	to lack
ろくな～	good ...	と 取りあえず	for the time being
ふうちょう 風潮	trend	じゅぎょうりょう 授業料	tuition
はんたい 反対	opposition	さいふ 財布	wallet
となり 隣	neighbor	あず 預かる	to keep
お き 押し切る	to dare	み 身	position
か じ 家事	house work	ローン	loan
て つだ 手伝う	to help	しゅっぴ 出費	expenses
わる 悪い	bad, sorry	かさむ	to mount up
しゅうにゅう 収入	income	いた 痛い	painful
か けい 家計	household	おけいこごと	lessons

さく	to spare	<ruby>大切<rt>たいせつ</rt></ruby>	important
L. 5-6 (p. 79)		<ruby>一生懸命<rt>いっしょうけんめい</rt></ruby>	very hard
つらい	painful	<ruby>打<rt>う</rt></ruby>ちこむ	to throw oneself into
パート	part-time job	<ruby>成長<rt>せいちょう</rt></ruby>する	to grow up
せめて	at least	ウーマンリブ	women's liberation
<ruby>見<rt>み</rt></ruby>つかる	fo find	<ruby>台頭<rt>たいとう</rt></ruby>する	to become influential
<ruby>過<rt>す</rt></ruby>ぎる	to pass (Also see L.1-7)	〜<ruby>余<rt>あま</rt></ruby>り	over ...
<ruby>保険<rt>ほけん</rt></ruby>	insurance	イコール	equal
セールス	sales	<ruby>無能力者<rt>むのうりょくしゃ</rt></ruby>	the incompetent
レジ	cashier	レッテル	label
<ruby>相談<rt>そうだん</rt></ruby>する	to consult, to talk over	<ruby>嫁<rt>よめ</rt></ruby>に<ruby>行<rt>い</rt></ruby>く	to marry
みっともない	shameful, improper	<ruby>握<rt>にぎ</rt></ruby>る	to grasp, to control
よせ (←よす	to stop)		
<ruby>怒<rt>おこ</rt></ruby>る	to get angry	<練習で使われている語句>	
<ruby>短大<rt>たんだい</rt></ruby>	junior college	<ruby>種類<rt>しゅるい</rt></ruby>	kind
<ruby>情<rt>なさ</rt></ruby>けない	miserable, shameful		
<ruby>選挙<rt>せんきょ</rt></ruby>	election		
<ruby>民主党<rt>みんしゅとう</rt></ruby>	Democratic Party		
<ruby>副<rt>ふく</rt></ruby>〜	vice ...		
<ruby>大統領<rt>だいとうりょう</rt></ruby>	president		
<ruby>候補<rt>こうほ</rt></ruby>	candidate		
<ruby>指名<rt>しめい</rt></ruby>	nomination		
<ruby>祖母<rt>そぼ</rt></ruby>	grandmother		
<ruby>妻<rt>つま</rt></ruby>	wife (Also see L.4-7)		

■ 新出漢字

1	起	3	(走)	お（きる）	to rise	21	深	3	(氵)	シン	deep
2	暖	6	(日)	あたた（める）	to warm up	22	片	6	(片)	かた	one single
3	準	5	(十)	ジュン	rule	23	燃	5	(火)	も（える）	to burn
4	備	5	(イ)	ビ	to prepare	24	宅	6	(宀)	タク	home
5	弁	5	(ム)	ベン　弁当	lunch	25	戸	2	(戸)	と	door
6	合	2	(へ)	あ（う）	to fit	26	加	4	(力)	カ	to add
7	刊	5	(刂)	カン	edition	27	減	5	(氵)	ゲン	to decrease
8	供	6	(イ)	とも，ども	plural marker	28	液	5	(氵)	エキ	liquid
9	夜	2	(亠)	ヤ よる	evening	29	資	5	(貝)	シ	nature
10	支	5	(支)	シ	to support	30	源	6	(氵)	ゲン	source
11	第	3	(竹)	ダイ	prefix for or- dinal numbers	31	経	5	(糸)	ケイ	circles of longitude
12	衣	4	(衣)	イ	clothes	32	器	4	(口)	キ	utensil
13	服	3	(月)	フク	dress	33	具	3	(目)	グ	utensil
14	選	4	(辶)	セン えら（ぶ）	to select	34	簡	6	(竹)	カン	simplicity
15	洗	6	(氵)	セン あら（う）	to wash	35	単	4	(ツ)	タン	single
16	除	5	(阝)	ジ	to remove	36	械	4	(木)	カイ	shackles
17	干	6	(干)	ほ（す）	to dry	37	寄	5	(宀)	よ（る）	to gather
18	冷	4	(冫)	レイ	cold	38	陽	3	(阝)	ヨウ	sun
19	品	3	(口)	ヒン	goods	39	健	4	(イ)	ケン	healthy
20	則	5	(貝)	ソク	law	40	康	4	(广)	コウ	to enjoy

41	仕	3	(イ)	シ	to serve	61	収	5	(又)	シュウ	to obtain
42	蔵	6	(艹)	ゾウ	to own warehouse	62	計	2	(言)	ケイ	to measure
43	庫	3	(广)	コ	warehouse	63	雑	5	(隹)	ザツ	miscellaneous
44	週	3	(辶)	シュウ	week	64	追	3	(辶)	お (う)	to run after
45	値	6	(イ)	ね	price	65	永	5	(水)	エイ	eternal
46	肉	3	(冂)	ニク	meat	66	久	5	(ノ)	キュウ	long (time)
47	店	2	(广)	みせ	store	67	泣	6	(氵)	な (く)	to cry
48	保	5	(イ)	ホ	to keep	68	役	3	(彳)	ヤク	role office
49	重	3	(里)	ジュウ	～fold to pile up	69	委	4	(禾)	イ	to entrust to
50	平	3	(一)	ヘイ	level	70	欠	4	(欠)	か (ける)	to lack
51	罪	5	(四)	ザイ つみ	sin	71	財	5	(貝)	サイ	treasure
52	識	5	(言)	シキ	to know	72	布	5	(ナ)	フ	cloth
53	局	3	(尸)	キョク	conclusion	73	預	5	(頁)	あず (かる)	to keep
54	修	5	(イ)	シュ	to study	74	費	4	(貝)	ヒ	expenses
55	退	5	(辶)	タイ	to retire	75	痛	6	(疒)	いた (い)	painful
56	職	5	(耳)	ショク	occupation	76	過	5	(辶)	す (ぎる)	to pass
57	可	6	(口)	カ	approval	77	険	5	(阝)	ケン	steep
58	辞	4	(舌)	や (める)	to resign	78	談	4	(言)	ダン	talk
59	潮	6	(氵)	チョウ	tide	79	短	3	(矢)	タン	short
60	悪	3	(心)	わる (い)	bad	80	情	5	(忄)	なさ (け)	feeling

81	挙	4	(ツ)	キョ	to conduct
82	党	6	(ⅳ)	トウ	party
83	副	4	(刂)	フク	vice-
84	領	5	(頁)	リョウ	domination
85	候	4	(イ)	コウ	to inquire after
86	補	6	(衣)	ホ	to supplement
87	指	3	(扌)	シ	finger
88	祖	5	(ネ)	ソ	ancestor
89	妻	5	(女)	つま	wife
90	命	3	(へ)	メイ	life
91	打	3	(扌)	う (つ)	to strike
92	台	2	(ム)	タイ	level
93	余	5	(へ)	あま (り)	over

■ 練習
<small>れんしゅう</small>

一、次の言葉を日本語で説明しなさい。

1. 実に	16. 順	31. さく
2. 準備	17. 経済的	32. 相談
3. 弁当	18. もったいない	33. みっともない
4. 間に合う	19. 任せる	34. 怒る <small>おこ</small>
5. 自分	20. 値段	35. 情けない
6. 選ぶ	21. 激しい <small>はげ</small>	36. 選挙
7. 洗う	22. 夕飯 (↔)	37. 候補
8. 掃除 <small>そうじ</small>	23. 保存	38. 大切
9. 自動	24. 稼ぐ <small>かせ</small>	39. 成長
10. 物干し	25. 心をこめる	40. 握る <small>にぎ</small>
11. 燃える	26. 冷たい (↔)	
12. 分ける	27. 役員	
13. 空く	28. 取りあえず	
14. 加減	29. 預かる	
15. 無駄 <small>むだ</small>	30. けいこ	

二、次の例にならって、短文を作りなさい。

1. ～しながら・・・する (p. 75, ℓ. 5)

・歩きながら物を食べないで下さい。

・テレビを見ながらどんなことをしますか。

・ラジオを聞きながら、料理をしたり洗濯をしたりします。

2．〜し次第・・・する（p.75, ℓ.9）

　　・田中さんが来次第出かけます。

　　・宿題_{しゅくだい}が終わり次第夕食にしましょう。

　　・鈴木さんから電話があり次第駅に迎_{むか}えに行きます。

3．原則として（p.75, ℓ.21）

　　・ここでは原則として禁煙_{きんえん}です。

　　・このクラスでは、原則として英語を使わないことになっている。

　　・平日は原則として六時に起きることにしている。

4．一人で（p.76, ℓ.1）

　　・一人で旅行_{りょこう}するのはいやです。

　　・家族と離_{はな}れていると、一人で何でもする習慣がつきます。

　　・人に聞かないで一人で考えなさい。

5．〜を・・・に任せる（p.76, ℓ.16）

　　・この仕事を君に任せる。

　　・教育は学校に任せてありますが、しつけは家庭でするようにしています。

　　・後のことはそちらにお任せします。

6．〜によって・・・する（p.77, ℓ.6）

　　・収入の大小によって住居の大小も決まる。

　　・収入の多いか少ないかによって乗る車も違_{ちが}ってくる。

　　・時と場合によって服装_{ふくそう}を決める。

7．〜はいかが（p.77, ℓ.11）

　　・コーヒーはいかがですか。

　　・今度一緒_{いっしょ}に映画を見るのはいかがですか。

　　・今日は大分涼_{すず}しいんですが、ご気分はいかがですか。

8．～するのがおちだ（p. 77, ℓ. 17）

　　・徹夜の後では、頭がぼんやりしてつまらないミスをおかすのがおちだから、今夜はゆっくり

　　　休みなさい。

　　・あの人は口だけで努力しないから、今度のプロジェクトも失敗するのがおちですよ。

　　・無理な計画を立てても計画だおれになるのがおちだ。

9．～という頭があるから・・・ $\left\{ \begin{array}{l} する \\ しない \end{array} \right\}$ （p. 78, ℓ. 10）

　　・日本人は、子供の仕事は勉強だという頭があるので、家の中の手伝いはあまりさせないそう

　　　です。

　　・アメリカ人は、高校を出たら独立しなくてはならないという頭があるから、大学に入ってか

　　　らは自分で生活費や授業料を稼いでいる人が多い。

　　・食べ物を残したり捨てたりするのは罪悪だという頭があるから、つい食べ過ぎてしまいます。

10．～より・・・の方が ―― （p. 79, ℓ. 19）

　　・この食堂よりあのレストランの方が高いですよ。

　　・国語辞典の方が漢和辞典より使いやすいです。

　　・このステレオよりそのステレオの方が音がいい。

三、ゴミの種類

　1．普通ゴミ

　　　野菜くず（生ゴミ）・紙くずなど

　2．分別ゴミ

　　　プラスチック・ゴム・皮革・金属・ガラス・せと物など

　3．粗大ゴミ

　　　ゴミ容器に入らない大きなゴミ

四、次の「肩」を使った表現を勉強しなさい。

　1．肩身が狭い

　　　・女房を働かせているので、肩身が狭い。

　2．肩を持つ

　　　・妹とけんかすると、母はいつも妹の肩を持つのでつまらない。

　3．肩を並べる

　　　・ＳＤＳＵはＵＣＳＤと化学の分野でも肩を並べています。

　4．肩の荷がおりる

　　　・今度の試験でやっとＡが取れたので、肩の荷が下りた。

　5．肩書き

　　　・田山さんは、文学博士の肩書きを持っているそうです。

五、次の表現を勉強しなさい。

　1．まな板の上の鯉

　2．煮ても焼いても食えない

　3．箸にも棒にもかからない

　4．冷や飯を食わせる

　5．朝飯前

　6．お茶を濁す

六、次の部首について名前と意味を勉強し、その部首の使われている漢字を挙げなさい。

1	2	3	4	5	6	7	8	9	10
走	十	宀	厶	刂	氵	火	貝	阝	𠆢

LESSON 6　お父さんも大変―一億総働きバチ

　メアリーの専攻は経済学なので、日本の主婦が一家の財布のひもを握っているというのは、非常に興味深い**現象**だと思う。たとえやりくりが苦しくても、家計をさい配できるというのは大変な仕事で、日本の主婦は本当に**権**力があると思う。

5　そんなある日、一般**教養**で取っている「日本社会構造」のクラスで、おもしろいデータが取り上げられた。このクラスにはジョンを初め海外から留学している学生達がたくさんいて、議論百出となった。もともと国際部が出しているコースであるが、一男や花子のように外国に興味のある日本人学生も**聴講**に来ているなかなか人気のあるコースである。

10　まず、社会経済学教授の中川先生が次のような表を配った。

表1　**夫**婦の間の決定権

	女性全体		専業主婦		**就**労主婦	
	夫	妻	夫	妻	夫	妻
生活費の使い道	18%<	73%	14%<	80%	23%<	65%
子供の数	29	31	32	31	26 <	31
妻の家庭外活動	43	40	47 >	37	37 <	45
家族で外出	50 >	29	52 >	29	46 >	29
夫の小遣い	52 >	33	51 >	37	52 >	29
全体の実権	76 >	19	77 >	19	76 >	91
100%=	1121人		621人		455人	

資料）NHK　1977年10月　全国調**査**「日本の夫婦**像**」

15

　これは、NHK——日本**放**送**協**会——が家庭の主婦1121人を対象に、夫婦間の決定権について調査したものである。専業主婦というのは仕事を持っていない主婦、就労主婦というのはパートタイム・フルタイムにかかわらず家庭に収入をもたらす仕事を持っている主婦をさす。ボランティア活動は**含**

20

25

まれない。

先　生　「生活費の使い道」というのは、何にいくら使うかということです。
　　　　これを主婦全体の７３％が決めるのですから、やはり主婦は一家の
　　　　大蔵省と言えるでしょう。「子供の数」や「妻の家庭外活動」は夫
　　　　婦二人で決めています。「家族で外出」、これはお父さんが週末ゆ　　　　5
　　　　っくりできるとは限りませんから、お父さんのスケジュール次第と
　　　　いうことでしょう。「夫の小遣い」は、やはり夫に決定権があるよ
　　　　うですよ。全体で見ると、財布のひもを握っているのは妻であって
　　　　も、実権を握っているのは一家の大黒柱の夫、ということになります。

　　　　　みなさん、何か気付いたことがありますか。これは1977年の調査　　　　10
　　　　ですが、夫婦の間の決定権を扱ったものでは、最新のものです。大
　　　　変おもしろいデータなので、ディスカッションの材料にしたいので
　　　　すが・・・。

学生1　自営業は別として、サラリーマンの給料はどのように支払われるの
　　　　でしょうか。　　　　15

先　生　銀行振り込みが増えてきましたが、現金支給をしている所もまだた
　　　　くさんあると思います。法律の上では現金支給が建前ですので、公
　　　　務員の給料は全部現金で支払われるのが原則です。民間では、取引銀行に
　　　　社員の給料を振り込むケースが多いですね。私個人としては、現金
　　　　の入った給料袋をもらった方が働いている実感があるので、いいと　　　　20
　　　　思いますよ。

学生2　先生、現金支給の場合、どうやって奥さんに給料を渡すのですか。

先　生　袋ごと、封をしたままですよ。

学生2　ええっ。

先　生　うちのはちょっと古いのですが、給料袋を渡すと、まず神棚に供　　　　25

-94-

　え、それから仏壇に持って行きます。そして、封を切って小遣いをく

　れます。後のことは家内に任せてありますから、適当にやってくれ

　ているのでしょう。

学生1　銀行振り込みの場合、一体誰の口座に振り込まれるのですか。

5　先　生　もちろん、ご主人のですよ。

学生1　では、どうやってご主人のお金を奥さんが自由に引き出せるのですか。

先　生　簡単ですよ。通帳と判さえあればいいんですから。下ろすのは簡単

　です。

メアリー　仕事を持っているお母さんにとって、もう一人子供を産むか産ま

10　ないかというのは大変な問題ですよね。もちろん、働いていないお母

　さんにとっても大問題でしょうけど・・・。それをどうしてお母さん

　の意志に任せられないのでしょうか。出産と育児で忙しくなるのは

　母親なのに、決定権を持っている主婦が３１％しかいないのは寂し

　いと思います。

15　一　男　出産したら、勤めなんか辞めてしまうのが普通だから、もう一人

　産んでも経済的にやっていけるかどうかが問題になりますよね。だ

　から二人で話し合って決めるんじゃないですか。

ジョン　話が前後するけれど、ぼくは日本の夫は弱いと思います。自分が稼

　いでいるのに、自分で小遣いの額を決めているのは５０％そこそこ。

20　アメリカだったら100％夫の権利ですよ。

花　子　でも、そのかわり、やりくりするのは夫の役目になっているんじゃ

　ありませんか。何だかんだ言ってみても、日本の主婦は大変なんだ

　と思いますよ。男の人は、せっかく稼いできたのに小遣いしかもら

　えない、と同情されますが、主婦は自分用の小遣いももらえず、全

25　部生活費と貯金に消えてしまうのですから。

学生3　私が不思議なのは、収入のある主婦ですら家庭外でどんな活動に携

主 な 工 業 原 料 の 輸 入 の 割 合

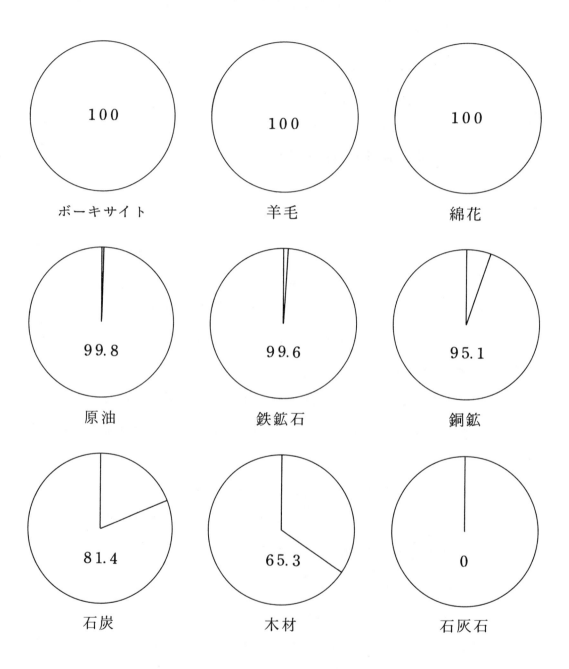

ボーキサイト　　　　　羊毛　　　　　綿花

原油　　　　　鉄鉱石　　　　　銅鉱

石炭　　　　　木材　　　　　石灰石

（ 1983年通産省調べ ）

わるか自分で決められない点です。ご主人のお金を使うわけではあるまいし、まさに、どこへ行って何をしようと勝手だと思うのですが・・・。

一　男　主婦が「私だって働いているんだから」という意識を持ったら、おしまいですよ。主婦は「働かせてもらっている」と思って、収入を度外視して家庭内のこともやらなくては、今はやりの離婚をしなくてはならないはめにおちいると思いますよ。

メアリー　あなたは随分旧式なのですね。日本の男性は古いんですね。

一　男　古いも新しいもないですよ。日本人はみんなそう思っているんですから。

メアリー　本当ですか、先生。

先　生　ええ、まあ、若い人達の間では変わってきていると思いますがねえ。

学生4　日本のお父さんは、どうしてあんなに忙しいのでしょうか。毎日残業や接待でおそくなる上、日曜は接待ゴルフや付き合いマージャンで家を空けていますよね。夫婦で外出することもあまりないし、家族そろっての外出は年に数える程しかありませんね。

学生5　夏休みを取るのも大変なようですね。

先　生　日本人は「勤労は美徳」という考え方を持っています。日本は天然資源が極端に乏しい国ですから、外国から資材を輸入しています。ちょっとこの図を見てごらんなさい。これは1983年に通産省が調べた主な工業原料の輸入の割合です。アルミニウムの原料のボーキサイト、そして羊毛・綿花は100％輸入に頼っているのが分かりますね。原油も国内生産はわずか0.2％ですし、鉄鉱石も銅鉱もわずかしか国内で出ません。石炭や木材も大部分を輸入に頼っています。国内の需要に100％応じられるのは、セメントの原料の石灰石だけです。(p.96参照)

このように、日本は原料や資源を世界各国から大量に輸入し、自動

車・船・テレビ・カメラ・鉄鋼などの工業製品を逆にこれらの国々に輸出することによって成り立っている国なのです。これを加工貿易と呼んでいますが、この形態で成功するためには、高度な技術と優れた労働力が不可欠です。この二点に着眼して下さい。

余談になりますが、海外からの工業原料や資源の供給は日本にとって死活問題ですから、政府も外交がうまくなくてはいけません。日本には技術と人的資源しかないのですから。　　　　　　　　　　　　　5

学生2　先生、「人的資源」とは、どういうことですか。

先　生　人間が大勢いるということです。日本の面積は約３８万平方キロメートルで、アメリカの２５分の１しかありません。カリフォルニア州とほぼ同じ広さです。しかし、人口は１億２千万人と多く、アメ　　10
リカ全土の約半分もあります。１平方キロメートル当たりの人口密度を比べると、アメリカの25人に対し、日本は世界第四位の318人です。どんなに人間が多いか分かるでしょう。労働者の層が厚いのです。この人間の頭脳と労働力を上手に活用すれば、科学技術も日進月歩　　15
の勢いで進歩しますし、サービス部門でも充実が期待できます。

学生2　あ、そう言えば、GMからトヨタに視察に来た人達も、品質管理と組合対策を勉強しに来たんでしたね。

先　生　そうです。組合対策というのは、いかに労働者を管理するかということですし、一定のレベルの質の高い製品の生産を目的とする品質　　20
管理も、大本は労働者をいかに最高の状態で働かせ続けることができるかという労働管理の問題なのです。「優れた業績は勤労と努力の賜物」と誰もが信じていますから、みんな一生懸命働こうとするのですよ。

学生4　先生、今でも終身雇用制がありますか。　　　　　　　　　　　25

学生5　以前、転職が盛んになり大卒の４人に１人が経験済みというニ

ュースを見ましたが・・・。

先　生　でも、まだまだ退職するまで1つの会社に**忠**誠を尽くす人が大半で
　　　　すよ。勤労は美徳ですし愛社精神も盛んですから、ひたすら働き続
　　　　けるのです。長期休暇も、仕事にあまり熱心ではないという**印**象を
5　　　与えるのを恐れて、取りにくいのでしょう。

　　　　反対に、残業は仕事熱心と見られますし残業手当も結構良いので、
　　　　みんなやっているのでしょう。接待で宴会に出たりゴルフをしたりす
　　　　るのは、神経を使うので大変だと思いますよ。

　　各々が勝手なことを言ったためか、議論は思わぬ方向へ発**展**してしまった。
10　メアリーは、日本の主婦は財布のひもを握っているので、家庭内では**絶**対の
権力があると思っていたのに、夫婦間の決定権は**圧**倒的に夫のものであるこ
とが分かった。

　　朝刊を読みながら朝食をとり、その日に着ていく洋服ですらお母さんの手
を煩わせなければ選べない山田家のお父さんは、アメリカ人のメアリーの目
15　には何とも頼りなく映るが、実は強い存在であるらしい。また、銀行では大
変な働きバチとして神経をすり減らしているらしいことも分かった。

　　メアリーはため息をついていた。「アメリカ人の私には、到底日本の主婦
は務まらないし、たとえ男に生まれてきたとしても、到底日本のサラリーマ
ンにもなれそうにない・・・」と。1億**総**働きバチに見えてきた。

■ 語彙
ごい

L. 6－2 (p. 93)

専攻 せんこう	major	数 かず	number
経済学 けいざいがく	economics	活動 かつどう	activity
ひも	string	外出 がいしゅつ	outing
興味深い きょうみぶか	interesting	小遣い こづか	allowance
現象 げんしょう	phenomenon	実権 じっけん	real power
さい配 はい	control, management, direction	資料 しりょう	data
		調査 ちょうさ	investigation
権力 けんりょく	authority	～像 ぞう	image of...
一般教養 いっぱんきょうよう	general education	日本放送協会 にほんほうそうきょうかい	Japan Broadcasting Company
社会 しゃかい	society		
構造 こうぞう	structure	対象 たいしょう	subject
データ	data	もたらす	to bring in
取り上げる と あ	to take up	ボランティア	volunteer
～を初め はじ	beginning with...	含む ふく	to include
議論 ぎろん	discussion		

L. 6－3 (p. 94)

百出 ひゃくしゅつ	heated discussion	大蔵省 おおくらしょう	Ministry of Finance
聴講 ちょうこう	auditing	週末 しゅうまつ	weekend
表 ひょう	list	スケジュール	schedule
配る くば	to distribute	～次第 しだい	depending upon...
夫婦 ふうふ	married couple	大黒柱 だいこくばしら	breadwinner
決定権 けっていけん	decision making power	ディスカッション	discussion
就労 しゅうろう	going to work	材料 ざいりょう	data, material
生活費 せいかつひ	household budget	自営業 じえいぎょう	self employed
使い道 つか みち	how to spend (money)	サラリーマン	salaried man

給料 きゅうりょう	salary	通帳 つうちょう	passbook
支払う しはら	to pay	下ろす お	to withdraw
振り込む ふこ	to deposit	産む う	to give birth to
現金 げんきん	cash	意志 いし	will
支給 しきゅう	payment	出産 しゅっさん	childbirth
法律 ほうりつ	law	育児 いくじ	childcare
建前 たてまえ	policy	母親 ははおや	mother
公務員 こうむいん	civil servant	寂しい さび	sad, lacking somthing
民間 みんかん	civilian, non-governmental	やっていく	to manage
取引銀行 とりひきぎんこう	company's bank	話し合う はなあ	to talk over with
ケース	case	前後 ぜんご	before and after, order
実感 じっかん	real feeling	弱い よわ	weak
場合 ばあい	case	額 がく	amount
～ごと	whole...	～そこそこ	almost...
封をする ふう	to seal	そのかわり	instead
神棚 かみだな	shelf for Shinto tablets	役目 やくめ	role
供える そな	to offer (to a god)	何だかんだ言っても なんい	no matter what you say

L. 6-4 (p. 95)

仏壇 ぶつだん	household Buddhist altar	同情する どうじょう	to sympathize
封を切る ふうき	to open the seal	自分用 じぶんよう	for oneself
適当 てきとう	proper	貯金 ちょきん	savings
口座 こうざ	account	消える き	to disappear, to vanish
自由に じゆう	freely	～すら	even
引き出す ひだ	to withdraw	携わる たずさ	to be engaged in

L. 6-6 (p. 97)

～ではあるまいし	it is not the case that...
まさに	exactly
おしまい	end
度外視する（どがいし）	to ignore
はやり	in fashion
離婚（りこん）	divorce
～するはめにおちいる	to end up with
旧式（きゅうしき）	old fashioned
若い（わか）	young
ゴルフ	golf
マージャン	mah-jong
空ける（あ）	to vacate
そろう	to gather
夏（なつ）	summer
勤労（きんろう）	labor
美徳（びとく）	virtue
天然（てんねん）	natural
極端（きょくたん）	extreme
乏しい（とぼ）	scant
資材（しざい）	raw material
輸入（ゆにゅう）	import
図（ず）	chart
通産省（つうさんしょう）	Ministry of International Trade and Industry(MITI)
工業（こうぎょう）	industry
原料（げんりょう）	raw material
割合（わりあい）	ratio
アルミニウム	aluminum
ボーキサイト	bauxite
羊毛（ようもう）	wool
綿花（めんか）	cotton
～に頼る（たよ）	to rely on
原油（げんゆ）	crude oil
国内（こくない）	domstic
生産（せいさん）	production
鉄鉱石（てっこうせき）	iron ore
銅鉱（どうこう）	copper ore
石炭（せきたん）	coal
木材（もくざい）	lumber
需要（じゅよう）	demand
応じる（おう）	to respond
セメント	cement
石灰石（せっかいせき）	limestone
世界（せかい）	world
各国（かっこく）	each country
大量（たいりょう）	large quantity

L. 6-7 (p. 98)

カメラ	camera
鉄鋼（てっこう）	iron and steel

せいひん			じんこう	
製品	product		人口	population
ぎゃく			おく	
逆に	conversely		億	one hundred million
な た			せんまん	
成り立つ	to survive,		千万	ten million
	to consist of		ぜんど	
か こう			全土	all over the country
加工	process		みつど	
ぼうえき			密度	density
貿易	foreign trade		くら	
けいたい			比べる	to compare
形態	format		だい い	
せいこう			第〜位	the .... place
成功	success		そう	
こうど			層	layer
高度	high degree, advanced		あつ	
すぐ			厚い	thick
優れた	excellent		ず のう	
ろうどうりょく			頭脳	brain
労働力	labor		かつよう	
ふ か けつ			活用	practical application
不可欠	indispensable		か がく	
ちゃくがん			科学	science
着眼する	to fix one's eyes upon		にっしんげっぽ	
よ だん			日進月歩	ever advancing
余談になるが	This is a little off		いきお	
	the track, but...		勢い	energy, influence
きょうきゅう			しんぽ	
供給	supply		進歩	advancement
し かつもんだい			ぶ もん	
死活問題	matter of life or death		部門	section
せいふ			じゅうじつ	
政府	government		充実	fulfillment
がいこう			し さつ	
外交	diplomacy		視察	observation
じんてきし げん			ひんしつ	
人的資源	human resources		品質	quality
おおぜい			かんり	
大勢	many		管理	control
めんせき			くみあい	
面積	size of land		組合	union
やく			たいさく	
約	approximately		対策	treatment, policy
へいほう			いってい	
平方キロメートル	square kilometers		一定	certain
カリフォルニア	California		レベル	level
しゅう			しつ	
州	state		質	quality

もくてき 目的	purpose	はんたい 反対に	conversely
おおもと 大本	fundamental	て あて 手当	allowance
さいこう 最高	highest, best	えんかい 宴会	banquet
ぎょうせき 業績	achievement, accomplishment	しんけい 神経	nerves
たまもの 賜物	gift	おのおの 各々	each person
しん 信じる	to believe	ほうこう 方向	direction
しゅうしん 終身	life time	はってん 発展する	to develop
こ よう 雇用	employment	ぜったい 絶対	absolute
せい ～制	... system	あっとうてき 圧倒的	overwhelming
い ぜん 以前	befor	しょくじ (食事を)とる	to have/eat (a meal)
てんしょく 転職	change of employment	ようふく 洋服	clothes
さか 盛ん	popular	わずら 煩わせる	to bother
だいそつ 大卒	college graduate	たよ 頼りない	forlorn
けいけん 経験	experience	うつ 映る	to be reflected
		つよ 強い	strong

L. 6-8 (p. 99)

ちゅうせい 忠誠	loyalty	はたら 働きバチ	worker bee
つ 尽くす	to perform	へ すり減らす	to wear away
あいしゃせいしん 愛社精神	love for one's company	いき ため息	sigh
せいしん 精神	spirit	とうてい 到底	utterly
ひたすら	earnestly	そう 総	whole, total
ちょうき 長期	long term	れんしゅう <練習で使われている語句>	
ねっしん 熱心	enthusiastic	さまざま 様々	various
いんしょう 印象	impression	さんぎょう 産業	industry
あた 与える	to give	さんこう 参考	reference
おそ 恐れる	to fear		

■ 新出漢字

1	現	5	(王)	ゲン	present	21	適	5	(辶)	テキ	to be fit for
2	象	4	(ク)	ショウ	image	22	座	6	(广)	ザ	seat
3	権	6	(木)	ケン	authority	23	帳	3	(巾)	チョウ	register
4	養	4	(羊)	ヨウ	to cultivate	24	産	4	(立)	サン／う(む)	to give birth to
5	講	5	(言)	コウ	lecture	25	志	5	(心)	シ	will
6	夫	4	(一)	フ／おっと	husband	26	児	5	(儿)	ジ	infant
7	就	6	(尢)	シュウ	to engage in	27	弱	2	(弓)	よわ(い)	weak
8	査	5	(木)	サ	to investigate	28	額	5	(頁)	ガク	amount
9	像	5	(イ)	ゾウ	image	29	貯	4	(貝)	チョ	to save
10	放	3	(攵)	ホウ	to release	30	消	3	(氵)	き(える)	to vanish
11	協	4	(十)	キョウ	to be in harmony	31	視	6	(ネ)	シ	to look at carefully
12	末	4	(木)	マツ	end	32	旧	5	(日)	キュウ	old
13	柱	3	(木)	はしら	pillar	33	若	6	(艹)	わか(い)	young
14	材	4	(木)	ザイ	material	34	夏	2	(攵)	なつ	summer
15	営	5	(ツ)	エイ	occupation	35	美	3	(羊)	ビ／うつく(しい)	beautiful
16	給	4	(糸)	キュウ	to supply	36	徳	5	(彳)	トク	virtue
17	法	4	(氵)	ホウ	law	37	極	4	(木)	キョク	extremely
18	律	6	(彳)	リツ	law	38	輸	5	(車)	ユ	to send
19	務	5	(矛)	ム	duties	39	図	2	(囗)	ズ	chart
20	引	2	(弓)	ひ(く)	to pull	40	割	6	(刂)	わり	rate

41	羊	6	(羊)	ヨウ	sheep	61	政	5	(正)	セイ	government
42	毛	2	(毛)	モウ	hair	62	府	4	(广)	フ	center
43	綿	5	(糸)	メン	cotton	63	勢	4	(力)	セイ	power
44	油	3	(氵)	ユ	oil	64	積	4	(禾)	セキ	to accumulate
45	鉱	5	(金)	コウ	ore	65	約	4	(糸)	ヤク	approximately
46	銅	5	(金)	ドウ	copper	66	州	3	(川)	シュウ	state
47	炭	3	(山)	タン	charcoal	67	億	4	(イ)	オク	one hundred miliion
48	需	6	(雨)	ジュ	to demand	68	密	6	(宀)	ミツ	dense
49	灰	6	(厂)	カイ	ashes	69	層	6	(尸)	ソウ	layer
50	界	3	(田)	カイ	world	70	厚	5	(厂)	あつ (い)	thick
51	各	4	(夂)	カク おの	each	71	脳	6	(月)	ノウ	brain
52	量	4	(日)	リョウ	quantity	72	科	2	(禾)	カ	course
53	鋼	6	(金)	コウ	steel	73	進	3	(辶)	シン	to advance
54	製	5	(衣)	セイ	to manufacture	74	門	2	(門)	モン	gate
55	逆	5	(辶)	ギャク	reverse	75	管	4	(竹)	カン	to control
56	貿	5	(貝)	ボウ	to exchange	76	組	3	(糸)	くみ	to unite
57	易	5	(日)	エキ	divination	77	策	6	(竹)	サク	policy
58	功	4	(エ)	コウ	effect	78	績	5	(糸)	セキ	meritorious deed
59	眼	5	(目)	ガン	eye	79	信	4	(イ)	しん (じる)	to believe
60	死	3	(歹)	シ	death	80	制	5	(刂)	セイ	law

81	転	3	(車)	テン	to change
82	卒	4	(亠)	ソツ	to finish
83	験	4	(馬)	ケン	effect
84	忠	6	(心)	チュウ	loyalty
85	印	4	(卩)	イン	seal
86	展	6	(尸)	テン	to open
87	絶	5	(糸)	ゼツ	to cease
88	圧	5	(厂)	アツ	pressure
89	総	5	(糸)	ソウ	whole

■ 練習
れんしゅう

一、次の言葉を、日本語で説明しなさい。

1. 現象	18. 自由	35. 貿易
2. 構造	19. 引き出す	36. 優れる
3. 議論	20. 産む	37. 供給
4. 夫婦	21. 寂しい さび	38. 死活問題
5. 生活費	22. 役目	39. 面積
6. 小遣い こ づか	23. 同情	40. 約
7. 資料	24. 貯金	41. 人口
8. 調査	25. はやり	42. 密度
9. 大黒柱	26. そろう	43. 比べる くら
10. 材料	27. 天然（↔）	44. 日進月歩
11. 給料	28. 極端	45. 進歩
12. 現金	29. 輸入（↔）	46. 組合
13. 法律	30. 図	47. 経験
14. 民間（↔）	31. 原料	48. 熱心
15. 場合	32. 生産	49. 手当
16. 封 ふう	33. 需要（↔）	50. 絶対
17. 適当	34. 世界	

二、次の例にならって、短文を作りなさい。

1. 〜にかかわらず（p. 93, ℓ. 24）

　・これは大事な漢字だから、試験に出る出ないにかかわらず、よく勉強しておかなくてはいけ

　　ない。

　・ニンジンは栄養があるから、好き嫌いにかかわらず、食べなくてはいけない。
えいよう　　きら

・食欲のあるなしにかかわらず、ご飯を食べないと、体がもたない。

2. ～とは限らない (p.94, ℓ.6)

・お金があるから幸せとは限りません。

・勉強したから試験で良い成績がもらえるとは限らないので、頭が痛いんです。

・時間があるから勉強ができるとは限りません。集中できるかどうかが問題です。

3. ～は・・・次第 (p.94, ℓ.6)

・この世は金次第という考え方は、日本では嫌われますよ。

・これは君の気持ち次第だ。

・アメリカ社会では、出世は実力次第だ。出身校などあまり関係がない。

4. 自由に～する (p.95, ℓ.6)

・どうぞご自由にお召し上がり下さい。

・アメリカの大学制度は開放的で、いくつになっても自由に大学に出入りできる。

・日本語が自由に使えるようになりたい。

5. ～したらおしまい (p.97, ℓ.4)

・何事も悲観的になったらおしまいです。どうか気持ちを明るくもって下さい。

・せっかくここまで勉強してきたのに、ここでやめたらおしまいですよ。

・議論の場では、感情的になったらおしまいです。

6. ～するはめにおちいる (p.97, ℓ.7)

・毎日そんなに遊んでばかりいたら、試験の前に徹夜をするはめにおちいりますよ。

・成績が悪かったので、留年するはめにおちいった。

・山本さんのご主人は、奥さんの料理に文句を言い過ぎて、自分で夕食を作るはめにおちいったそうだ。

7. ～も・・・もない (p.97, ℓ.9)

・良いも悪いもない。

・好きも嫌いもないですよ。

・おもしろい<u>も</u>つまらない<u>も</u>ないでしょう。必須科目はどうしても取らなくてはいけません。

8. ～は・・・によって成り立っている (p.98, ℓ.2)

・日本<u>は</u>加工貿易<u>によって成り立っている</u>。

・日本<u>は</u>四つの島<u>によって成り立っている</u>。

・アメリカ<u>は</u>、どんな産業<u>によって成り立って</u>いますか。

9. ｛～するの / ～｝を恐れて～｛する / しない｝ (p.99, ℓ.5)

・<u>太るの</u>を<u>恐れて</u>甘い物を食べない。

・<u>失敗するの</u>を<u>恐れて</u>難しいプロジェクトを始めなくなるのは、悲しいことだ。

・<u>失恋</u>を<u>恐れて</u>恋愛しない人は、弱いと思う。

10. ～しそうにない (p.99, ℓ.19)

・この成績では、<u>卒業できそうにありません</u>。

・この仕事は五時までに<u>終わりそうにない</u>。

・あの様子では当分<u>帰りそうにない</u>。

三、様々な産業

Ⅰ. 農業

　　稲作

　　畑作

　　　麦作り

　　　野菜作り（野菜と草花）

　　　果物作り（りんご、みかん、なし、ぶどう）

　　　その外の作物の生産（芋、豆、雑穀）

　　　工芸作物の生産（緑茶、紅茶、たばこ）

　　　養蚕業（生糸、絹織物）

畜産

畜産（乳牛、肉牛、豚、鶏、馬）

畜産物（牛乳、バター、肉類、卵）

Ⅱ．工業

機械工業

自動車／電車／船／原動機／産業機械／電気機械器具（テレビ、冷蔵庫、電話）／

精密機械（時計、カメラ）

金属工業

鉄／銅／アルミニウム

化学工業

薬品／化学肥料／化学繊維／プラスチック／石けん／石油製品

繊維工業

生糸／綿糸／麻糸／絹織物／毛織物／化学繊維織物／綱／衣類

食料品工業

パン／びん詰め／缶詰め／ハム／酒／ビール／牛乳／味噌・しょうゆ

その外

セメント／ガラス、せと物／木製家具（机、いす、たんす）／パルプ／印刷物（本、雑誌）

／革製品（バッグ、コート）／楽器（ピアノ、バイオリン）

Ⅲ．水産業

漁業（魚、貝）／製塩業（塩）

四、次の質問に答えなさい。

1．アメリカは、どんな農産物を作っていますか。

2．アメリカには、どんな天然資源がありますか。

3．アメリカは、どんな物を輸出していますか。

4．アメリカは、どんな物を輸出していますか。

5．アメリカの貿易相手国について説明しなさい。

6．アメリカの貿易は、黒字ですか赤字ですか。また、貿易赤字／黒字を解消するために、どんなことをしなくてはいけないと思いますか。

五、アメリカでは、表1に出ている項目（こうもく）を誰（だれ）が決めますか。項目別（こうもく）に説明しなさい。

　　　生活費の使い道／子供の数／妻の家庭外活動／家族で外出／夫の小遣（こづか）い

六、日本人はなぜ長時間働いていると思いますか。

七、日本で日本の会社に就職したとします。アメリカ人のあなたは、日本人と同じように、付き合いや接待に時間をさけると思いますか。さけない場合、上司にどのように説明しますか。

八、アメリカの離婚（りこん）の原因（げんいん）には、どんなことが挙（あ）げられていますか。

九、次の表現を勉強しなさい。

　　1．付き合いマージャン

　　2．接待ゴルフ

　　3．家庭料理

　　4．お袋（ふくろ）の味

十、次の部首について名前と意味を勉強し、その部首の使われている漢字を挙げなさい。

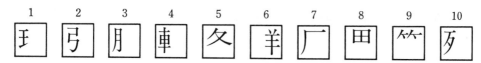

	1	2	3	4	5	6	7	8	9	10
	王	弓	月	車	夂	羊	厂	田	竹	歹

十一、参考資料

ものごとの決め方（夫と妻）

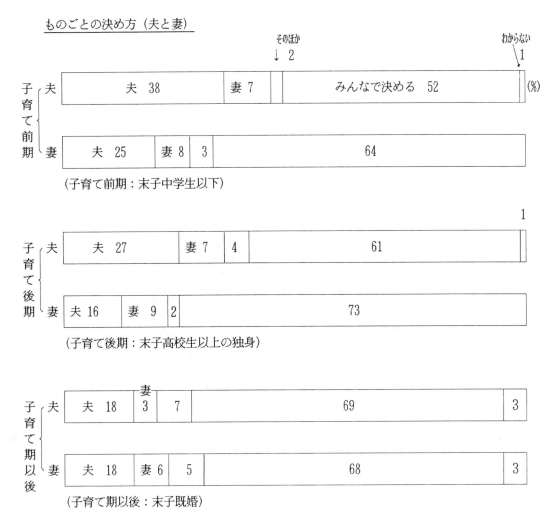

（子育て前期：末子中学生以下）

（子育て後期：末子高校生以上の独身）

（子育て期以後：末子既婚）

１９８５年　ＮＨＫ　「現代の家族像」

LESSON 7 頭 脳 で 勝 負

日本は**温帯**に位置しているので気候が穏やかだ、と日本人は言う。アメリカと異なり時**差**もない。しかし、夏と冬しかないテキサスで育ったメアリーには、日本は四**季**の区別がはっきりした美しい国だ。**春**と**秋**が加わると、**周囲**の変化が**豊**かになり、**樹木**の美しさは**筆舌**に尽くしがたい。**従**って、木曜日になると、メアリーはうきうきしてくる。明日は金曜日。週末は金曜日の夕方から始まるのだ。さあ週末は何をしようかと考えただけでうれしくなる。

5

池や**湖**で黄緑色の草の上に**横**になって、**鳥**の鳴き声を聞くのもいいし、**雲**がなければ、山に**登**って**宝石**のように**輝**く**星**を見るのもいい。海**岸**で**波**と遊ぶのもいいし、**貝**を**拾**うのもいい。それとも、**岩**の上でお弁当を広げようか。水がまだ**氷**のように冷たければ温水プールで**泳**いでもいいし、**体操**も悪くない。アメリカに帰る前に、**富士**山にも登ってみたい。新**幹**線で**歴史**のある京都や奈良へ行って、神社やお**寺**を**訪**ねてみたい・・・。

10

日本人の勤勉さには、頭が下がる。日本で**迎**えた初めての土曜日のこと。学生達が**整然**と学校へ行き、勤め人も当り前の顔をして通勤電車に乗るのを見て、メアリーは**腰**が**抜**ける**程驚**いた。これでは、日本が世界から注目される経済大国にならないわけがない。

15

しかし、ちょっと待ってほしい。雪子ちゃんと一君は、月曜日から土曜日まで学校がある上、**塾**へも通っているのだ。高校二年生の雪子ちゃんは、週二回英語**塾**へ行っている。ピアノも小学校のころからやっていて、今でも週一回レッスンを受けに行っている。中学三年生の一君は、週に四回も**塾**へ行く。英語と数学の強化を週二回ずつ、というわけだ。野**球**部に所**属**しているはずなのに、**練**習はもうしていないようだ。

20

夕方七時にならなければ塾から帰れない生活。夕食後、お母さんが後片付けをするのも手伝わず勉強を始め、十二時過ぎまで頑**張**る毎日。勉強することの**是**非を言っているのではない。しかし、そんなに勉強してどうするつもりなのだろう。お**皿**洗いを手伝うよりも勉強する方が大切なのだろうか。

25

　雪子ちゃんは勉強そのものが好きなようだから、まだいい。野球好きの一君は、机に向かっているばかりで、体を動かす時間がない。背も伸び運動したい年令なのに、本当に気の毒だ。

メアリー　お母さん、日本の子供はどうして勉強ばかりしているのでしょう。

里　子　そんなにやっているかしら。　　　　　　　　　　　　　　　　　　5

メアリー　雪子ちゃんだって一君だってすごいですよ。一君はどうして野球をやめちゃったのですか。

里　子　やめたわけじゃないのよ。今年は三年生で高校受験の準備をするので、お休みしているわけ。学校側からの指導で、どのクラブでもそうするのよ。　　　　　　　　　　　　　　　　　　　　　　10

メアリー　でも、そうまで勉強して何になるんですか。

里　子　一流高校に入れれば一流大学に入れるでしょう。一流会社に入って偉くなってほしいのよ。そのためには、今何としても頑張ってもらわなくてはね。

メアリー　・・・。雪子ちゃんは勉強好きのようでいいですね。　　　　　15

里　子　雪子は女の子だから、あんなに勉強してくれなくてもいいの。良い人と結婚して家庭に入ってくれれば安心なんだけど。あの子、でも、ひょっとしたら四年制の大学へ行くかも知れないわ。良妻賢母養成の女子高はつまらない、なんて生意気なことを言っているし、動物好きなので獣医になりたいとも言っているし。　　　　　　　20

メアリー　お母さん、でも、どうして塾に行ってまで勉強するのでしょうか。私には、夕食後お皿洗いを手伝ったりみんなとおしゃべりする方が、余程大切だど思われるんですが・・・。

里　子　私達サラリーマンには残してやれる土地も財産もないのよ。親として子供にしてやれることは、教育をつけさせることだけなのよ。教　　25

育さえあれば、自分の人生を開拓(かいたく)できるはずだと思うわ。だから、

私としては、後片付けなんか手伝ってもらうより勉強してもらった

方がいいの。

メアリー　では、教育が**遺**産がわりなんですね。

5　里　子　そういう言い方もできるわね。日本は資源が無くて**貧**しい国だけど、

人間だけは多いから、国としては頭脳で勝**負**せざるを得ないんでし

ょうね。社会も必要以上に人間を**競争**させて人材を伸(の)ばそうとして

いるんでしょう。とにかく、うちの一(はじめ)が、学歴が十分でないばかり

に出世コースにも入れてもらえないなんてことにならないように、

10　　　　しっかり勉強させなくちゃ。

メアリー　学歴って、大卒のことですか。だったら、大学なんてたくさんある

じゃないですか。心配要りませんね。

里　子　あのね、大学出ていればいいってものでもないのよ。やっぱり東大

ね。でなかったら、有名国立大学ね。私立だったら、一流私大。

15　メアリー　そんなにはっきりレベルを決めてしまっていいんですか。もし万一(まんいち)、

一君(はじめくん)が入試に失**敗**したらかわいそうですよ。

里　子　だから、入れるように頑張(がんば)らせなくちゃ。そのためには、塾通(じゅくがよ)いも

させるし、お皿洗(さらあら)いなんか手伝ってもらわなくていいのよ。入試に

合格する方が親**孝**行になるのよ。

20　メアリー　・・・。

　カリフォルニアにいた時、週一回教会に来る精薄児(せいはくじ)や身体**障**害者の世話

を手伝っていたジョンは、日本に来てから、精薄児(せいはくじ)はもちろん車いすに乗

った人を見かけた覚えがないので、不思議に思っていた。

　アメリカでは、車いすで勉強を続ける者のために大学の建物を改造するの

25　は、当り前のことだし、寮(りょう)も一階は身障者用に特別便宜(べんぎ)を図っている所が多

い。身体に何の障害もない精薄児（せいはく）は、社会の一員として、どこでも見かけることができた。精薄児（せいはく）といえども、何らかの職業訓練を受け、社会人として自立するのが当然とされている。

福祉（ふくし）問題研究会という大学のサークルに入っている森山花子によると、日本の福祉（ふくし）は欧米（おうべい）と比較（ひかく）すると、大分遅れ（おく）ているのだそうだ。精薄児（せいはく）収容施設（し）設は、田舎（おく）や山奥（おく）にあり社会から孤立（こりつ）している。車いすに頼らざる（たよ）を得ない人達が活動できる範囲（はんい）は、徐々（じょじょ）に広がりつつあるといえども、まだまだだ。ただし、精薄児（せいはく）の将来と車いすに乗れる程度の軽度の身障者の将来を比較（ひかく）すると、後者の方が明るい、というのが花子の意見である。花子は憤慨（ふんがい）して言う。福祉学（ふくし）・言語病理学・特殊（とくしゅ）教育などで学位を出している大学が、日本には一体何校あるか、と。

ジョンは、一般（いっぱん）社会から隔離（かくり）されているという精薄児（せいはく）のことが気になった。一人でトイレにすら行けなかったり、洋服が自分で着られなかったり、言うことの筋が通らなかったり、と問題は色々あるにしても、体は丈夫（じょうぶ）なのだから、社会復帰は可能なはずだ。アメリカのように、正常な神経の持ち主には耐え（た）られない程の単純作業を、精薄児（せいはく）に任せられないものだろうか。

同じことを何時間でも根気よく続けられる——これが精薄児（せいはく）の強みなのだ。「こんなことをしていて何になるのだろう」とか「自分は巨大（きょだい）な組織の歯車にすぎない」とか、精薄児（せいはく）は考えこんだり悩ん（なや）だりしない。

日本が本当に人的資源に頼ら（たよ）ざるを得ない国であるとすれば、精薄児（せいはく）のような人的資源を活用しないてはないと思うのだが・・・。

ジョン　一男（かずお）、日本ではどうして精薄児（せいはく）に職業訓練を施さ（ほどこ）ないんだ。

一　男　どうしてだろうね。多分、仕事に責任を持たせられないからじゃないかな。アメリカの精薄児（せいはく）はどうしているんだい。

ジョン　訓練を受けて、社会の一員として経済的にも独立しているんだ。同

5

10

15

20

25

じ所に同じ物を縫い付けたり、長いくぎと短いくぎをより分けたり、同じ服を同じように畳んだり、といった単純作業だけどね。

一　男　そりゃいいね。でも、一体誰が最終点検をするのかい。

ジョン　最終点検。

5　一　男　もし万一間違いが生じた時のために、最終チェックをすることだよ。

ジョン　そんな人、いないと思うけど。

一　男　だったら、何かあった時、一体誰が責任を持つんだろう。

ジョン　・・・。

一　男　施設内での作業分担でミスがあっても大目に見てもらえるけど、い

10　ったんお金を取るとなると、ミスは許されないんだ。信用にかかわ

るからね。品質管理ができていないと、商売上の信用を失い、倒産

しないとも限らないんだ。ある工場の社長さんが率先して精薄児

を雇ったら、こりゃ美談だよ。でも、会社の信用を落とさないた

めには、精薄児のした仕事をチェックする人が必要となるわけで、

15　能率も悪いし、随分高くつくと思うよ。

ジョン　人的資源の活用といっても、品質管理に裏付けされていなければいけ

けないんだね。

一　男　そうさ。ところで、高田馬場近辺で何か気付いたことはないかい。

ジョン　ええっと、あ、分かった。盲人用の信号のことだろう。

20　一　男　信号だけとは限らないけど・・・。歩道の上に表面のでこぼこしたタ

イルが張ってあるだろう。あの上を歩いている限りは、交通事故に

あわないことになっているんだ。

ジョン　信号が変わると、歌も変わるんだったね。

一　男　うん、東西と南北でメロディーが違うんだ。

25　ジョン　でも、どうして目の見えない人のために、こんなによくしてあげられ

るんだろう。

一　男　　どうしてだと思う。

ジョン　　分からないよ。

一　男　　盲人<ruby>もうじん</ruby>は、たまたま目が見えないだけで、頭脳が正常だからだよ。盲<ruby>もう</ruby>
　　　　　人<ruby>じん</ruby>の知力を引き出すためには、社会も力を入れているんだと思うよ。

ジョン　　だったら、車いすに乗っている人達が自由に教育や訓練が受けられ　　　　5
　　　　　るようにならなくては、うそだね。知力は正常なんだから。

一　男　　本当にそうだね。

ジョン　　ぼくは、知能重視の日本の在り方は、理解できても**賛**成できないよ。
　　　　　体に障害があろうが知力に障害があろうが、一人の人間としての尊
　　　　　厳は守られるべきだと思うよ。　　　　　　　　　　　　　　　　　　10

一　男　　日本人だって、誰<ruby>だれ</ruby>もが今のやり方を続けられると思っているわけ
　　　　　じゃないんだけどね・・・。でも、**急**には変わらないんだよ。

■ 語彙

L. 7-2 (p. 115)

おんたい 温帯	temperate zones		みずうみ 湖	lake
いち 位置する	to be located		きみどりいろ 黄緑色	yellow-green
きこう 気候	weather		くさ 草	grass
おだ 穏やか	mild		よこ 横になる	to lie down
こと 異なる	to differ		とり 鳥	bird
じさ 時差	defference in time		な ごえ 鳴き声	song
そだ 育つ	to grow		くも 雲	cloud
しき 四季	four seasons		やま 山	mountain
く べつ 区別	distinction		のぼ 登る	to climb
はっきり	clear		ほうせき 宝石	jewel
うつく 美しい	beautiful		かがや 輝く	to twinkle
はる 春	spring		ほし 星	star
あき 秋	fall		かいがん 海岸	beach
くわ 加わる	to join		なみ 波	wave
しゅうい 周囲	surroundings		あそ 遊ぶ	to play
ゆた 豊か	rich		かい 貝	shell
じゅもく 樹木	trees (and shrubs)		ひろ 拾う	to pick up, to gather
ひつぜつ 筆舌	description		いわ 岩	rock
～しがたい	difficult to do ...		ひろ 広げる	to open
したが 従って	therefore (Also see L.1-6)		こおり 氷	ice
うきうきする	to feel cheerful		おんすい 温水プール	heated swimming pool
いけ 池	pond		およ 泳ぐ	to swim

たいそう 体操	gymnastics, exercise	ぜひ 是非	right and wrong
ふじ さん 富士山	Mt. Fuji	**L. 7-3 (p. 116)**	
しんかんせん 新幹線	bullet train	む 向かう	to sit at, to face
れきし 歴史	history	うご 動かす	to move
きょうと 京都	Kyoto	せ 背	height
なら 奈良	Nara	せ の 背が伸びる	to grow
じんじゃ 神社	shrine	うんどう 運動	exercise
てら 寺	temple	ねんれい 年令	age
たず 訪ねる	to visit	き どく 気の毒	pitiful
きんべん 勤勉	industrious, dilligent	やめる	to stop
せいぜん 整然	orderly	じゅけん 受験	taking an entrance examination
つと にん 勤め人	white-collar worker	がわ 〜側	... side
こし ぬ 腰が抜ける	to blow one's mind	しどう 指導	guidance
ちゅうもく 注目する	to pay attention	いちりゅう 一流	first rate
けいざい 経済	economy	えら 偉くなる	to get ahead
たいこく 大国	big country	ひょっとしたら	it could be the case that...
レッスン	lesson	りょうさいけんぼ 良妻賢母	good wife and wise mother
すうがく 数学	mathematics	ようせい 養成する	to cultivate
きょうか 強化	strengthening	じょし こう 女子高	girls' high school
やきゅう 野球	baseball	なまい き 生意気	impudent
ぶ 〜部	... club (Also see L.1-5)	どうぶつ 動物	animal
しょぞく 所属する	to belong to	じゅうい 獣医	veterinarian
れんしゅう 練習	practice	おしゃべりする	to have a chat
がんば 頑張る	to hang in there, to do one's best		

余程　ょほど　considerably

残す　のこ　to bequeath

土地　とち　land

財産　ざいさん　property

L. 7-4 (p. 117)

人生　じんせい　life

開拓する　かいたく　to carve out

遺産　いさん　inheritance

貧しい　まず　poor

勝負　しょうぶ　bout, victory or defeat

競争　きょうそう　competition

人材　じんざい　talent

学歴　がくれき　educational background

出世コース　しゅっせ　promotional track

要る　い　to need

東大　とうだい　University of Tokyo

有名　ゆうめい　famous

国立大学　こくりつだいがく　national university

私立　しりつ　private

もし万一　まんいち　if by some chance

入試　にゅうし　entrance examination

失敗する　しっぱい　to fail

かわいそう　pitiful

塾通い　じゅくがよ　commutation to private school

親孝行　おやこうこう　filial piety

教会　きょうかい　church

精薄児　せいはくじ　retarded people

(精神薄弱児)　せいしんはくじゃくじ

身体　しんたい　body

障害　しょうがい　damage

身体障害者　しんたいしょうがいしゃ　the disabled

車いす　くるま　wheel chair

見かける　み　to see, can be seen

覚えがある　おぼ　to remember

建物　たてもの　building

改造　かいぞう　to remodel

便宜　べんぎ　convenience

図る　はか　to consider

L. 7-5 (p. 118)

職業　しょくぎょう　occupation

訓練　くんれん　training

社会人　しゃかいじん　public person, adult

自立　じりつ　independence

当然　とうぜん　natural

福祉　ふくし　welfare

研究会　けんきゅうかい　research group

サークル　circle

比較する　ひかく　to compare

遅れる　おく　to be behind the times

しゅうよう 収容	accommodation	ふっき 復帰	return
しせつ 施設	facility, institution	かのう 可能	possible
いなか 田舎	rural district	せいじょう 正常	normal
やまおく 山奥	heart of a mountain	もぬし 持ち主	holder
こりつ 孤立	isolation	た 耐える	to endure
はんい 範囲	range	たんじゅん 単純	simple
じょじょ 徐々に	gradually	さぎょう 作業	work
ひろ 広がる	to spread	こんき 根気よい	patient
～しつつある	in process of ...	つよ 強み	strength
ただし	however	きょだい 巨大	gigantic
しょうらい 将来	future	そしき 組織	organization
けいど 軽度	light degree, not serious	はぐるま 歯車	cogwheel
こうしゃ 後者	the latter	～にすぎない	it is nothing but...
あか 明るい	bright	かんが 考えこむ	to brood over
いけん 意見	opinion	ほどこ 施す	to provide
ふんがい 憤慨	indignation	せきにん 責任	responsibility
ふくしがく 福祉学	study of welfare	どくりつ 独立する	to become independent
げんご びょうりがく 言語病理学	speech pathology		

L. 7-6 (p. 119)

とくしゅきょういく 特殊教育	special education	ぬ つ 縫い付ける	to sew
がくい 学位	academic degree	なが 長い	long
かくり 隔離する	to insulate, to segregate	くぎ	nail
		みじか 短い	short
すじ 筋	plot	わ より分ける	to select
すじ とお 筋が通る	to make sense	ふく 服	clothes
じょうぶ 丈夫	sturdy	たた 畳む	to fold

さいしゅう 最終	final	タイル	tile
てんけん 点検	inspection	は 張る	to apply, to paste (Also see L. 1-5)
ま ちが 間違い	mistake	こうつう 交通	traffic
しょう 生じる	to appear, to be made	じ こ 事故	accident
ぶんたん 分担	share	～することになる	it has been decided that ...
おおめ み 大目に見る	to overlook		
ゆる 許す	to forgive	とうざい 東西	east and west
しんよう 信用	credit	なんぼく 南北	north and south
しょうばい 商売	business	メロディー	melody
うしな 失う	to lose		

L. 7-7 (p. 120)

とうさん 倒産する	to become bankrupt	ち りょく 知力	intellectual capability
しゃちょう 社長	president	ひ だ 引き出す	to extract
そっせん 率先する	to take the initiative	ちから 力	strength, power
やと 雇う	to employ	ちから い 力を入れる	to emphasize
び だん 美談	heartwarming story	うそ	lie
お 落とす	to drop, to lose	ち のう 知能	intelligence
のうりつ 能率	efficiency	じゅうし 重視する	to value
たか 高い	expensive	さんせい 賛成する	to agree
たか 高くつく	to really cost someone	そんげん 尊厳	dignity
うらづ 裏付けする	to endorse	きゅう 急に	all of a sudden
きんぺん 近辺	neighborhood		
もうじん 盲人	the blind		
しんごう 信号	traffic light		
ほ どう 歩道	sidewalk		
でこぼこした	bumpy, full of bumps		

■ 新出漢字

1	温	3	(シ)	オン	warm	21	雲	2	(雨)	くも	cloud
2	帯	4	(巾)	タイ	girdle	22	登	3	(癶)	のぼ (る)	to cilmb
3	差	4	(羊)	サ	difference	23	宝	6	(宀)	ホウ	treasure
4	季	4	(禾)	キ	season	24	星	2	(日)	ほし	star
5	春	2	(日)	はる	spring	25	岸	3	(山)	ガン	shore
6	秋	2	(禾)	あき	fall	26	波	3	(シ)	なみ	wave
7	周	4	(冂)	シュウ	circumference	27	遊	3	(辶)	あそ (ぶ)	to play
8	豊	5	(豆)	ゆた (か)	abundance	28	貝	2	(貝)	かい	sea shell
9	樹	6	(木)	ジュ	tree	29	拾	3	(扌)	ひろ (う)	to pick up
10	筆	4	(竹)	ヒツ	brush	30	岩	3	(山)	いわ	rock
11	舌	5	(舌)	セツ	tongue	31	氷	3	(水)	こおり	ice
12	従	6	(彳)	したが (う)	to follow	32	泳	3	(シ)	およ (ぐ)	to swim
13	池	2	(シ)	いけ	pond	33	操	6	(扌)	ソウ	to handle
14	湖	3	(シ)	みずうみ	lake	34	富	5	(宀)	フ	to be rich
15	黄	2	(黄)	き	yellow	35	士	4	(士)	ジ, シ	figure
16	緑	3	(糸)	みどり	green	36	幹	5	(干)	カン	trunk (of a tree)
17	草	2	(艹)	くさ	grass	37	歴	4	(厂)	レキ	to pass
18	横	3	(木)	よこ	side	38	史	4	(口)	シ	history
19	鳥	2	(鳥)	とり	bird	39	寺	2	(土)	てら	temple
20	鳴	2	(口)	な (く)	to sing(birds)	40	訪	6	(言)	たず (ねる)	to visit

41	整	3	(止)	セイ	to put in order	61	障	6	(阝)	ショウ	to interfere with
42	球	3	(王)	キュウ	globe sphere	62	訓	5	(言)	クン	precept
43	属	5	(尸)	ゾク	to belong to	63	福	3	(ネ)	フク	good fortune
44	練	4	(糸)	レン	to polish (one's style)	64	比	5	(ヒ)	ヒ くら (べる)	to compare
45	張	5	(弓)	は (る)	to stretch to apply	65	容	5	(宀)	ヨウ	to admit
46	是	6	(日)	ゼ	right	66	舎	5	(人)	田舎 (いなか)	house
47	背	6	(月)	せ	height	67	囲	4	(囗)	イ	to surround
48	運	3	(辶)	ウン	to carry	68	将	6	(丬)	ショウ	to be about to
49	令	4	(人)	レイ	order	69	病	3	(疒)	ビョウ	illness
50	毒	4	(母)	ドク	poison	70	位	4	(イ)	イ	rank
51	導	5	(寸)	ドウ	to guide	71	筋	6	(竹)	すじ	plot
52	流	3	(シ)	リュウ	rate	72	復	5	(彳)	フク	repeat
53	医	3	(匚)	イ	to cure	73	純	6	(糸)	ジュン	purity
54	遺	6	(辶)	イ	to bequeath	74	織	5	(糸)	シキ	textile
55	貧	5	(貝)	まず (しい)	poor	75	歯	3	(歯)	は	tooth
56	負	3	(ク)	フ, ブ	to lose	76	責	5	(貝)	セキ	to blame
57	競	4	(立)	キョウ	to compete	77	独	5	(犭)	ドク	one person
58	争	4	(ク)	ソウ	to struggle	78	検	5	(木)	ケン	to examine
59	敗	4	(貝)	ハイ	to be defeated	79	担	6	(扌)	タン	to carry on the shoulder
60	孝	6	(耂)	コウ	filial duty	80	許	5	(言)	ゆる (す)	to forgive

81	商	3	(亠)	ショウ	to deal in
82	率	5	(亠)	ソツ	to lead
83	裏	6	(亠)	うら	reverse side
84	辺	4	(辶)	ヘン	neighborhood
85	号	3	(口)	ゴウ	number
86	南	2	(十)	ナン	south
87	北	2	(ヒ)	ボク	north
88	賛	5	(貝)	サン	to agree
89	厳	6	(ツ)	ゲン	severe
90	急	3	(心)	キュウ	to hurry

■ 練習

一、次の言葉を、日本語で説明しなさい。

1．気候	18．気の毒	35．研究会
2．育つ	19．やめる	36．田舎
3．四季	20．指導	37．範囲 (はんい)
4．区別	21．偉い (えら)	38．将来
5．美しい (↔)	22．良妻賢母 (けんぼ)	39．筋
6．加わる	23．生意気	40．丈夫 (じょうぶ)
7．豊か	24．土地	41．考えこむ
8．登る (↔)	25．財産	42．責任
9．輝く (かがや)	26．人生	43．独立
10．拾う (↔)	27．出世	44．信用
11．体操	28．有名 (↔)	45．商売
12．歴史	29．国立 (↔)	46．雇う (やと)
13．寺	30．失敗 (↔)	47．能率
14．訪ねる	31．建物	48．歩道
15．練習	32．職業	49．力を入れる
16．是非	33．訓練	50．賛成 (↔)
17．伸びる (の)	34．当然	

二、次の例にならって、短文を作りなさい。

1．～するのもいいし，・・・するものいい (p.115, ℓ.7)

　　・雨の日には，家で本を読むのもいいし，映画を見に行くのもいい。

　　・この魚は，フライにするものいいし，さしみにするものいいですよ。

　　・この型の洋服は，春に着るのもいいし秋に着るのもいい。

2. ～には，頭が下がる　(p. 115, ℓ. 13)

　・山本さんの $\left\{\begin{array}{c}熱心さ \\ 熱心なの\end{array}\right\}$ には，本当に頭が下がってしまいます。

　・川村さんの $\left\{\begin{array}{c}勉強好き \\ 勉強好きなの\end{array}\right\}$ には，頭が下がります。

　・あの学生の努力とまじめな態度には、実に頭が下がる思いがします。

3. ～。これでは・・・ $\left\{\begin{array}{c}する \\ しない\end{array}\right\}$ わけがない　(p. 115, ℓ. 15)

　・ここは全く雨が降りませんね。これでは木が育つわけがないですね。

　・あの学生は遊んでばかりいて，少しも勉強しません。あれでは，良い成績が取れるわけがありません。

　・うちの子は，甘い物が大好きな上に，食後あまり歯をみがかない。これでは虫歯にならないわけがない。

4. ～するはずだ　(p. 115, ℓ. 22)

　・土曜日は，授業がないはずです。

　・先生は来週学会でシカゴに行くはずですよ。

　・あの人は銀行に勤めているはずです。

　・$\left\{\begin{array}{l}授業がないはずでした。 \\ 授業がなかったはずです。\end{array}\right.$

　・$\left\{\begin{array}{l}シカゴへ行くはずでした。 \\ シカゴへ行ったはずです。\end{array}\right.$

5. ～するつもりだ　(p. 115, ℓ. 25)

　・卒業したら，どうするつもりですか。

　・貿易会社に就職するつもりです。

　・日本に行って生活してみるつもりです。

・┌ 日本語で話すつもりでした。

  └ 日本語で話したつもりです。

・┌ 日本語で話しているもりですが‥‥。

  └ 日本語で話すつもりでいますが‥‥。

6. ┌ 〜しているばかりだ　　（p.116, ℓ.2）

   ┤ 〜してばかりいる

   └ 〜ばかりしている　　（p.116, ℓ.5）

・遊んでいるばかりで少しも勉強しません。

・遊んでばかりいて少しも勉強しません。

・勉強しているばかりで運動しないのは健康的ではありません。

・勉強してばかりいて運動しないのは，体によくありませんよ。

・勉強ばかりしていないで，少しは運動しなさい。

7. 〜ばかりに・・・┌ する

             ┤ しない　　　（p.117, ℓ.8）

             └ できない

・お金が心配なばかりに医者に見てもらわないのは，ばかげている。

・予習をしなかったばかりに，授業についていけなくなりました。

・電話が鳴ったばかりに，寝ていた赤ちゃんが目を覚ましてしまった。

8. 〜といえども・・・するのが当然だ　　（p.118, ℓ.2）

・アメリカでは，学生といえども授業料や生活費を稼ぐのが当然だという考え方がある。

・欧米では，子供といえども独立した個人として扱うのが当然だと思っている人が多い。

・親しい友人といえども，礼儀をわきまえて接するのが当然だ。

9. 〜しないてはない　　（p.118, ℓ.21）

・せっかくパーティーに招待されたのです。行かないてはありませんよ。色々な人と近付

　きになれるかも知れませんよ。

・こんな便利な機械を使わないてはありません。ぜひ利用して下さい。

・日本へ行って京都へ行かないてはありませんよ。

10. ～しなくてはうそだ　　(p. 120, ℓ. 6)

・これほどカロリーに気を付けているのだから，体重が減らなくてはうそだ。

・こんなによく勉強しているのだから，Aが取れなくてはうそだ。

・やる気のある女性なら、男性と平等に昇進の機会が与えられなくてはうそだ。

三、日米の教育制度を比較しなさい。

	日　　本	ア　メ　リ　カ
小学校		
中学校＝中学		
高等学校＝高校		
短期大学＝短大		
大学		
大学院 ┤ 修士課程 博士課程		

・義務教育の期間／教科書の内容／教職課程／教員免許／教員採用試験／高校進学率／大

学進学率

四、学科（小学校～高校）

・数学（算数－小学校）

・外国語〔（英語，ドイツ語，フランス語）／第一外国語／第二外国語〕

・社会〔地理／歴史（日本史，世界史）／政治／経済／哲学／倫理〕

・国語〔現代国語／古文／漢文〕

・生物／化学／物理／保健・体育／家庭科／工芸／美術／音楽／書道

五、アメリカでは，どんな学科が重視されていますか。

六、日本では，どんな学科が重視されていると思いますか。

七、アメリカには塾_{じゅく}がありますか。

八、アメリカのサマーキャンプは，どんなことをする所ですか。説明しなさい。

九、アメリカの小・中学校では，どんなことが大切だと教えられますか。

十、一_{はじめ}君はなぜ野球部の活動を休んでいますか。

十一、一_{はじめ}君のお母さんは，お皿_{さら}洗いを手伝うよりも入試に合格する方が親孝行になると言っています。なぜですか。

十二、一_{はじめ}君のお母さんの娘_{むすめ}に対する期待と息子に対する期待は，同一ではありません。どこがどう違_{ちが}いますか。

十三、シンデレラ・コンプレックス (Cinderella complex) とは，どんなものですか。説明しなさい。

十四、日本の知能重視の考え方をどう思いますか。

十五、日本ではなぜ教育が大切ですか。

十六、アメリカでは，大卒の給料と高卒の給料はあまり変わりません。それでもみなさんは大学に進学しました。なぜですか。

十七、次の表現を勉強しなさい。

1. 横の物を縦にもしない
   <small>たて</small>

2. 縦横無尽
   <small>じゅうおうむじん</small>

3. 横断↔縦断
   <small>じゅうだん</small>

4. 東西南北

5. 古今東西

6. 東奔西走
   <small>とうほん</small>

7. 四方八方

8. 八方美人

十八、次の部首について名前と意味を勉強し，その部首の使われている漢字を挙げなさい。

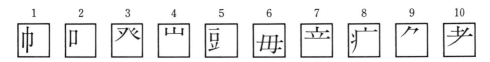

LESSON 8　不可解な日本人

　山田家には、何の前触れもなしに訪問してくる非常識な客が多い。「ちょっと近所まで来たものでね」とか、「あら、まあ、お久しぶり、ご在宅でよかったわ」とか言いながら、応対に出たお母さんにあいさつしている。こちらが在宅していることに、何の疑いも持たなかったらしい。その証拠には、お土産を持参している。　　　　　　　　　　　　　　　　　　　　　　　5

　たとえ在宅していても、こちらにも都合というものがある。電話もかけないで勝手に訪ねてくる客は、本当に迷惑だとメアリーはお母さんに同情する。しかし、お母さんは嫌な顔一つ見せず、「まあまあ、散らかしておりますが、どうぞどうぞ」などと言って招じ入れている。もしこちらが留守をしていたら、一体どうなっていたのだろう。また、これから外出する用事がある　　10
場合、何と応対するのだろう。

　突然の来客といえば、お父さんもひどい。宴会か何かの帰りに、部下や友人を連れてくることがある。電話連絡も何もなく、十時・十一時といった時刻に帰宅し、「おうい、お客様、お連れしたぞう」と機嫌の良い声で言っている。お母さんは一瞬困ったような顔をするが、すぐに笑顔になってあいさ　　15
つをしに玄関へ出て行く。

　「いつも山田がお世話になっております。取り散らかしておりますが、どうぞお上がり下さい」と言ってスリッパをそろえて出す。こんな時でもにこにこできるのは、一種の才能だと感心する。お客様はスリッパにはきかえながら、「お邪魔します」とか「失礼します」とか言っている。　　　　　20

　こんな時間では、店屋物を取りたくても店が開いていないし、万一開いていたとしても、出前してもらうには遅過ぎる。お母さんは、有り合わせの物をかき集めて何か作らなくてはいけない。

　毎日何時に帰宅できるか分からないお父さん。夕食ですら食べてくるのかこないのか分からない。その上、夜中に突然お客様を連れてくる。　　　　25

　回覧板も急に来るし、何かの宣伝をしているセールスマンも印刷物を持っ

てよく飛び込んでくる。いつだったかメアリーが留守番をしていた時、近所の**老人**がお**孫**さんを連れて、**卵**と**熟**した柿を持ってきてくれたことがあった。メアリーは出たくなかったので、出なかった。**窓**が開いていたので在宅しているのが分かったのだろう。何度もブザーを**押**していたが、やがて行ってしまった。お母さんが帰宅して、**玄関**の前の卵と柿を見つけた。後でお母さんがお礼を**述**べた時、**著**しく気分を害したこのおじいさんは、「お宅はいるのに出ない」と**皮肉**ったそうだ。そして、それ以後、**折**り合いが悪くなってしまったそうだ。メアリーは、老人の**示**した**善**意をどう解釈してよいか分からなかった。皮肉の原**因**に心当たりがなかった。

日本人には、時間の観念というものがないのだろうか。そういえば、日本人と待ち合わせをして時間どおりに会えたためしがない・・・。しかし、**JR線**ダイヤの正確さは世界に**類**を見ないし、日本は小学生の**幼**い**児童**ですら時計をしている時計王国だ。時間にルーズなように見えるお父さんでさえ、**翌日提出**締め切りのレポートを仕上げるためには、**徹夜**も辞さない。**秒針**付きの時計をにらみながら、**血眼**になっている・・・。日本人の時間の観念は、一体どうなっているのだろう。

メアリー　お母さん、日本人はどうして**突然**訪ねてくるのでしょうか。電話もかけずに来るなんて、ひどいですよ。一種の**暴力**ですよ。

里　子　暴力だなんて思ったことはないけれど、**突然**来られると、正直言ってびっくりすることがあるわね。

メアリー　こちらの都合も聞かないで急にやってくるなんて、失礼ですよ。お母さんは、いつもにこにこ**歓待**していらっしゃいますが、**腹**が立ったりすることはないんですか。

里　子　そうねえ、事前に知らせてもらえれば助かるけれど、**突然**来られて腹が立つっていうことはないわね。

メアリー　私だったら**完**全に怒りますね。プライバシーの侵害ですから。

里　子　そうかしら。私はかえって急に来てもらった方が、言い訳できていいと思うんだけど。

メアリー　？

里　子　知らせてもらっていないから、部屋が汚くても仕方がないし、ご飯　　　5
の準備もできていないから、店屋物で済ますことができるのよ。それに、お客様が手ぶらで見えることはまずないわ。何かしらお茶菓子になる物を頂くから、それを「お持たせで済みません」と言って出せるのよ。ある意味で、この方が簡単なんじゃないかしら。

メアリー　もしこちらが留守だったら、お客様はどうするのでしょう。　　　　10

里　子　無駄足をふませることになるわね。でも、自分が勝手に来たのだから、会えなくても仕方がないと思えるのよ。お隣にでもお土産を預けていくか、また出直してくるのね。あ、そうそう、この間玄関の前にお土産とメモを残していった人がいたわ。

メアリー　私には、時間の無駄としか思えませんが。　　　　　　　　　　　15

里　子　そうねえ、そう見えるかも知れないわね。

メアリー　でも、お母さんがお出掛けになる時は、前もってお知らせなさるんでしょう。

里　子　こちらも突然来られてあわてることを考えると、知らせるべきだと思うのよ。でも、何だか悪くてできないわ。　　　　　　　　　　　20

メアリー　何が悪いんですか。

里　子　前もって知らせるということは、「準備をちゃんとしておけ」と取られる可能性が高いのよ。「知らなかった」という言い訳は立たないから、すべてに準備を怠りなくしておく必要があるのよ。掃除から料理に至るまで、何から何までよ。もらったお土産に手を付ける　　25
わけにはいかないから、全部自分で買い出しておくのよ。お金も大

変だし、時間も大変でしょ。かわいそうよ。

メアリー　へえ、そんなものでしょうか。

里　子　遠方から泊まりがけで来る場合は別だけれど、そうでなければ、相手がいそうな時にふらりと訪れるのが、思いやりというものよ。

5　メアリー　難しいんですね。では、お父さんが急にお客様を連れてくるのは。

里　子　正直言って、出前も頼めない夜中にお客様を連れてこられると、困ってしまうわね。でも、向こうも事情が分かっているから、有り合わせの物で済ますことができるのよ。一生懸命尽くせば喜んでくれるわ。要は、もてなそうとする気持ちだと思うわ。

10　メアリー　そうでしょうか。

里　子　ええ、そうよ。それにね、お父さんも良いところを見せたいのよ。急にお客様を連れて帰っても、女房は、嫌な顔一つしないでもてなしてくれる──こんなことでお父さんもメンツが保てると思っているのよ。

15　メアリー　・・・。

　ジョンの通学は「忍」の一字に尽きる。日本では通勤通学に往復三時間かける人はざらにいる、と聞かされた後では、片道一時間足らずの通学時間は苦にならない。否、苦にしてはいけないのだと思う。

　しかし、満員のバスや電車には参ってしまう。ことに電車がつらい。手は上げたら上げたまま、体はねじれたらねじれたまま、次の駅に着いて乗客が降りるまで動かすこともできない。その上、車内はうだるような暑さだ。呼吸困難になりそうになったり、胸が苦しくなったりする。周りの人に体をぴたりと付けられると、本当に気分が悪くなる。あまり押されると、内臓が破裂しそうに感じる。

25　これは一種の拷問だとジョンは思うのだが、日本人は平気なようだ。どんな

尺度で生活しているのだろう。アメリカ人のジョンには、通勤通学で三時間
も取られるだけでも我慢がならない（本音を吐くと、の話）のに、こんな蒸
し風呂のような電車に閉じ込められたまま、身動き一つできないなんて地獄だ。

　慣れないうちは、隣の人に接触したりぶつかったりすると「済みません」
「ごめんなさい」を連発していたが、あまり込んできてきりがないので謝る　　5
のをやめた。気がついてみると、誰も何も言っていないので、これで良いの
だろう。

　ジョンが困るのは、知らない人と目が合った時だ。カリフォルニアの開放
的な雰囲気の中で育ったジョンは、他人と視線が合って表情を崩さないでい
ることができない。大抵の人はあわてて目をそらすが、中には、「失礼です　　10
が、どこかでお目にかかったでしょうか」と尋ねてくる人も何人かいる。日
本人は、ほほ笑みを忘れてしまったのだろうか。

　いや、通学の途中でも日本人の笑いには接している。電車の中からホーム
を見ていると、ぞっとすることがある。電車に乗ろうとして改札口からホー
ムへ走ってきて、あと少しというところで乗り損ねた時、なぜか笑うのだ。　　15
目の前でドアが閉まってしまい、悔しいはずなのに、笑っているのだ。いつ
もは表情が固いのにこんな時笑うなんて、気味が悪い。以前沖縄戦線のフ
ィルム（太平洋戦争中、アメリカ軍によって撮影されたもの）が公開され、
ジョンもテレビのニュースで一部を見たが、ここでも不気味な笑いを見た。
上陸したアメリカの軍隊に降伏した日本兵の笑いだ。　　　　　　　　　　　20

　不可解な笑いといえば、知り合いの商社マンの雨宮さんからおもしろい話
を聞いた。小麦粉などの穀物や化学肥料の輸入と、養蚕農家生産の絹の輸出
に関する大規模な日米共同プロジェクトのために、アメリカに出張していた
時のことだ。政府高官と折衝の際、近く関税が上がることをほのめかされた。
利益の計算が複雑になる兆候が見えたので、早速、博識と評判の浅倉氏に指　　25
名通話を申し込んだ。もし投資額の判断を誤れば、会社の株価が下がり、会

社の存亡がかかってくる。雨宮さんは興奮していた。

　すると、アメリカのオペレーターは、東京のオペレーターを通さず直接呼び出そうとして、"Is Mr. Asakura there？"と聞いた。電話を受けた秘書は、ちょっとたじろいだようだったが、すぐに"He is not here"と言って笑った。雨宮さんは、オペレーターの許可を得て、いつ部長が席に戻るか日本語で尋ねたが、その後で「本当に浅倉さんはいなかったんでしょうね」とオペレーターに何度も念を押されたそうだ。

　日本人は、なぜ変な時に笑って、肝心の時に笑い返してくれないのだろう。

　不思議なことは、まだある。満員電車の中で本や新聞を読んでいる人が大勢いるのだ。一男の話によると、ウォークマンが流行する以前は、さらに多くの人が何かを読んでいたそうだ。こんな窮屈な所で本を読んでどうしようというのだろう。

　駅の改札口付近や街角に電話が並んでいるが、ここでの光景も異様だ。みんなが電話に向かって、何度も何度もおじぎをしている。そして、しきりに「ええ」「はい」「そうですか」などと言って、相づちを打っている。一体どこまで真剣に相手の話を聞いているのだろうか。これ程相づちを打たれて、よく相手は不快にならずにいられると感心する・・・。

■ 語彙
　　ごい

不可解 ふかかい	strange, incomprehensible	ひどい	terrible
		部下 ぶか	subordinate, follower
L. 8-2 (p. 136)		連絡 れんらく	contact
前触れ まえぶ	previous notice	時刻 じこく	time
訪問する ほうもん	to visit	機嫌 きげん	mood
非常識 ひじょうしき	lack of common sense	声 こえ	voice
久しぶり ひさ	I have not seen you for a long time	笑顔 えがお	smile
在宅 ざいたく	at home	そろえる	to arrange
応対 おうたい	reception	にこにこする	to smile
疑い うたが	doubt	一種の いっしゅ	a kind of
証拠 しょうこ	evidende(Also see L.1-6)	才能 さいのう	talent
		感心する かんしん	to be impressed
土産 みやげ	souvenir	邪魔 じゃま	interruption
持参 じさん	to bring	店屋物 てんやもの	dishes from a caterer
都合 つごう	convenience	出前する でまえ	to deliver
迷惑 めいわく	annoyance	有り合わせ ああ	whatever is in hand
散らかす ち	to disarrange	かき集める あ	to collect
招じ入れる しょうい	to have ... come in	夜中 よなか	midnight
留守 るす	absence	回覧板 かいらんばん	circular notice
用事 ようじ	business	宣伝 せんでん	advertisement
突然 とつぜん	all of a sudden	印刷物 いんさつぶつ	printed material
来客 らいきゃく	visitor	**L. 8-3 (p. 137)**	
～といえば	speaking of ...	飛び込む とこ	to jump into

るすばん 留守番する	to look after the house	せいかく 正確さ	punctuality
ろうじん 老人	the old	るい 類	comparison, example
まご 孫	grandchild	しょうがくせい 小学生	elementary school children
たまご 卵	egg	おさな 幼い	very young
じゅく 熟した	ripe	じどう 児童	child
かき 柿	persimmon	とけい 時計	watch
まど 窓	window	おうこく 王国	kingdom
ブザー	buzzer	ルーズ	loose
お 押す	to press, to push (Also see L. 3-9)	よくじつ 翌日	following day
の 述べる	to say	ていしゅつ 提出	submission
いちじる 著しい	remarkable	し き 締め切り	deadline
きぶんがい 気分を害する	to hurt one's feeling	レポート	report
ひにく 皮肉る	to make snide remarks	てつや 徹夜する	to stay up all night
ひにく (皮肉	snide remarks)	じ 辞す	to refuse
お あ 折り合い	terms	びょうしん 秒針	second hand
しめ 示す	to express	にらむ	to stare at
ぜんい 善意	good faith	ちまなこ 血眼になって	in a frenzy
かいしゃく 解釈	interpretation	ぼうりょく 暴力	violence
げんいん 原因	cause	かんたい 歓待	hearty welcome
こころあ 心当たり	clue	はら た 腹が立つ	to get angry
かんねん 観念	sense	じ ぜん 事前	beforehand
ま あ 待ち合わせ	appointment, waiting for someone	**L. 8−4 (p. 138)**	
		かんぜん 完全に	completely
ダイヤ	time table	い わけ 言い訳	excuse

きたな 汚い	dirty	ざら	nothing unusual
て 手ぶら	empty-handed, without bringing something	かたみち 片道	one way
かし 菓子	sweets	た 〜足らず	less than ...
ちゃがし (お)茶菓子	sweets for tea	く 苦になる	to annoy, to weigh on one's mind
あし 足	leg	く 苦にする	to bother
むだあしふ 無駄足を踏む	to go ... for nothing	まんいん 満員	full house
あず 預ける	to leave	ねじれる	to twist
でなお 出直す	to come again	じょうきゃく 乗客	passenger
メモ	memo	お 降りる	to get off
まえ 前もって	in advance	しゃない 車内	on the train
かのうせい 可能性	possibility	うだる	to boil
おこた 怠りなく	diligently	あつ 暑さ	heat
つ 付ける	to attach	こきゅう 呼吸	breathing
かだ 買い出す	to go shopping	こんなん 困難	difficulty

L. 8-5 (p. 139)

		むね 胸	chest
えんぽう 遠方	distance	まわ 周り	surroundings
べっ 〜は別	... is different	ぴたりと付ける	to attach firmly
ふらりと	in a casual manner	ないぞう 内臓	internal organs
おも 思いやり	thoughtfulness	はれつ 破裂	explosion
じじょう 事情	circumstances	ごうもん 拷問	torture
よう 要	essential point		

L. 8-6 (p. 140)

たも メンツを保つ	to save face	しゃくど 尺度	standard
にん 忍	endurance	がまん 我慢	endurance
おうふく 往復	round trip	ほんね 本音	actual intensions/ feelings

は 吐く	to confess	そこ 〜し損ねる	to fail to do ...
む ぶろ 蒸し風呂	steam bath, sauna	くやしい	frustrated, vexed
と こ 閉じ込める	to confine	かた 固い	stiff
み うご 身動き	body movement	きみ わる 気味が悪い	weird
じ ごく 地獄	hell	おきなわ 沖縄	Okinawa
な 慣れる	to get used to	せんせん 戦線	front
せっしょく 接触する	to contact, to touch	フィルム	film
ぶつかる	to bump	たいへいよう 太平洋	the Pacific
れんぱつ 連発する	to repeat rapidly	せんそう 戦争	war
こ 込む	to become crowded	ぐん アメリカ軍	U.S. army
め あ 目が合う	to have an eye contact	さつえい 撮影する	to shoot a movie
かいほうてき 開放的	open	こうかい 公開する	to open to the public
ふんいき 雰囲気	atmosphere	いちぶ 一部	one part
た にん 他人	others	ぶ きみ 不気味	weird
し せん 視線	eyes	じょうりく 上陸する	to land
ひょうじょう 表情	facial expression	ぐんたい 軍隊	military
くず 崩す	to destroy	こうふく 降伏する	to surrender
そらす	to turn (one's eyes) from ...	に ほんへい 日本兵	Japanese soldier
と ちゅう 途中	on the way	しょうしゃ 商社	trading company
ホーム	platform	しょうしゃ 商社マン	person who works for a trading company
ぞっとする	to shudder	あまみや 雨宮	Amamiya (surname)
かいさつぐち 改札口	entrance, ticket examiner's box	こ むぎこ 小麦粉	flour
はし 走る	to run	こくもつ 穀物	grain
		か がく 化学	chemistry

肥料 ひ りょう	fertilizer	誤る あやま	to make a mistake
養蚕 ようさん	sericulture	株 かぶ	stock
農家 のうか	farmer	株価 かぶか	stock price
絹 きぬ	silk		

L. 8-7 (p. 141)

規模 きぼ	scale	存亡 そんぼう	life and death
共同プロジェクト きょうどう	joint project	興奮する こうふん	to get excited
出張する しゅっちょう	to be on a business trip	オペレーター	operator
高官 こうかん	high ranking official	たじろぐ	to shrink back
折衝 せっしょう	negotiation	許可 きょか	permission
〜の際 さい	on the occasion of ...	念を押す ねん お	to make doubly sure
関税 かんぜい	custom duty	肝心 かんじん	essential
ほのめかす	to drop a hint	ウォークマン	walkman
利益 り えき	profit	流行する りゅうこう	to become popular
計算 けいさん	calculation	窮屈 きゅうくつ	cramped
複雑 ふくざつ	complicated	〜付近 ふ きん	in the neighborhood of ...
兆候 ちょうこう	symptom	街角 まちかど	street corner
早速 さっそく	immediately	光景 こうけい	scence
博識 はくしき	knowledgeable	異様 い よう	weird, bizarre
評判 ひょうばん	reputation	相づちを打つ あい う	to chime
浅倉 あさくら	Asakura (surname)	真剣 しんけん	serious
〜氏 し	Mr./Ms./Mrs/...	不快 ふかい	uncomfortable
指名通話 し めいつうわ	person-to-person call		

<練習で使われている語句>

申し込む もう こ	to apply for	反応 はんのう	reaction
投資 とうし	investment	閉じる と	to close

■ 新出漢字

1	疑	6	(ヒ)	うたが (い)	doubt	21	述	5	(辶)	の (べる)	to state
2	証	5	(言)	ショウ	evidence	22	著	6	(艹)	いちじる (しい)	remarkable
3	都	3	(阝)	ツ, ト	capital	23	皮	3	(皮)	ヒ	skin
4	迷	5	(辶)	メイ	to be puzzled	24	折	4	(扌)	お (る)	to bend to break
5	散	4	(攵)	ち (らす)	to scatter	25	示	5	(示)	しめ (す)	to show
6	招	5	(扌)	ショウ	to invite	26	善	5	(羊)	ゼン	good
7	刻	6	(刂)	コク	time	27	因	5	(囗)	イン	cause
8	声	2	(士)	こえ	voice	28	線	3	(糸)	セン	line
9	種	4	(禾)	シュ	kind	29	類	4	(頁)	ルイ	kind
10	才	2	(才)	サイ	talent	30	幼	6	(幺)	おさな (い)	infant
11	万	3	(一)	マン	ten thousand	31	童	3	(立)	ドウ	child
12	覧	6	(見)	ラン	to look at	32	翌	6	(羽)	ヨク	the following~
13	板	3	(木)	バン	board	33	提	5	(扌)	テイ	to carry in one's hand
14	宣	6	(宀)	セン	to state	34	秒	3	(禾)	ビョウ	second
15	刷	4	(刂)	サツ	to print	35	血	3	(血)	ち	blood
16	老	4	(耂)	ロウ	old age	36	暴	5	(日)	ボウ	violence
17	孫	4	(子)	まご	grandchild	37	歓	5	(欠)	カン	to rejoice
18	卵	6	(卩)	たまご	egg	38	腹	6	(月)	はら	abdomen
19	熟	6	(灬)	ジュク	to grow ripe	39	完	4	(宀)	カン	completion
20	窓	6	(宀)	まど	window	40	往	5	(彳)	オウ	to go

41	満	4	(シ)	マン	fullness	61	麦	2	(麦)	むぎ	wheat
42	降	6	(阝)	お (りる)	to get off	62	粉	4	(米)	こ	powder flour
43	暑	3	(日)	あつ (い)	hot	63	穀	6	(殳)	コク	grain
44	吸	6	(口)	キュウ	to breathe in	64	肥	5	(月)	ヒ	to fertilize
45	胸	6	(月)	むね	chest breast	65	蚕	5	(虫)	サン	silkworm
46	臓	6	(月)	ゾウ	entrails	66	農	3	(辰)	ノウ	farming
47	破	5	(石)	ハ	to tear	67	絹	5	(糸)	きぬ	silk
48	尺	6	(尸)	シャク	length	68	規	5	(見)	キ	compass
49	我	6	(戈)	ガ	self	69	模	6	(木)	ボ	model
50	蒸	6	(艹)	む (す)	to steam	70	共	4	(ハ)	キョウ	together
51	他	3	(イ)	タ	other	71	官	4	(宀)	カン	government position
52	走	2	(走)	はし (る)	to run	72	税	5	(禾)	ゼイ	tax
53	損	5	(扌)	そこ (ねる)	to fail to (do)	73	益	5	(皿)	エキ	profit
54	固	4	(囗)	かた (い)	hard	74	複	5	(衤)	フク	to repeat
55	戦	4	(戈)	セン	war	75	兆	6	(儿)	チョウ	symptom
56	軍	4	(冖)	グン	army	76	速	4	(辶)	ソク	fast
57	陸	4	(阝)	リク	land	77	博	4	(十)	ハク	learned
58	隊	4	(阝)	タイ	corps	78	評	5	(言)	ヒョウ	criticism
59	兵	4	(ハ)	ヘイ	soldier	79	浅	4	(シ)	あさ (い)	shallow
60	宮	3	(宀)	みや	shrine	80	倉	4	(人)	くら	warehouse

81	氏	4	(氏)	シ	Mister(used as suffix)
82	投	3	(扌)	トウ	to throw
83	株	6	(木)	かぶ	stocks
84	価	5	(イ)	カ	price
85	亡	6	(亠)	ボウ	to perish
86	奮	6	(大)	フン	to rouse oneself
87	街	6	(彳)	まち	avenue town
88	角	3	(角)	かど	corner
89	光	2	(ツ)	コウ	light
90	景	4	(日)	ケイ	view
91	異	6	(田)	イ	unusual
92	快	5	(忄)	カイ	pleasant

■ 練習

一、次の言葉を、日本語で説明しなさい。

1．不可解	18．述べる	35．破裂（は れつ）
2．訪問	19．皮肉	36．本音
3．常識	20．示す	37．地獄（じ ごく）（↔）
4．疑う	21．善意	38．慣れる
5．証拠（しょうこ）	22．解釈	39．込む（こ）（↔）
6．土産	23．原因（↔）	40．他人
7．迷惑（めいわく）	24．心当たり	41．表情
8．留守	25．翌日	42．途中
9．用事	26．腹が立つ	43．共同
10．連絡（れんらく）	27．汚い（きたな）	44．利益
11．機嫌（き げん）	28．預ける	45．複雑（↔）
12．そろえる	29．事情	46．評判
13．夜中	30．片道（↔）	47．申し込む（こ）
14．宣伝	31．苦にする	48．肝心（かんじん）
15．老人	32．満員	49．流行
16．孫（↔）	33．降りる（↔）	50．光景
17．熟する	34．呼吸	

二、次の例にならって、短文を作りなさい。

1．～も｛なしに／しないで｝・・・する　（p.136, ℓ.1）

・電話も｛なしに／かけないで｝来ないで下さい。

・予告も $\left\{\begin{array}{l}なしに\\しないで\end{array}\right\}$ 試験をしないで下さい。

・事情も知らないで文句を言わないでほしい。

2. ～といえば　(p. 136, ℓ. 12)

・外国語といえば, このごろ日本語のクラスはどうですか。難しくなりましたか。

・留学といえば, アメリカに留学している山田さんの息子さんはどうしているだろう。

・川口さんといえば, あの人のご両親には学生時代大変お世話になった。

3. $\left\{\begin{array}{l}こんな～では\\こんなに～ては\end{array}\right\}$ ・・・したくても・・・できない　(p. 136, ℓ. 21)

・こんな成績では, 卒業したくても卒業できません。

・こんな狭い家では, お客様をお泊めしたくてもお泊めできない。

・こんなに忙しくては, デートをする時間を作りたくても作れない。

4. $\left\{\begin{array}{l}～する\\～\end{array}\right\}$ には・・・過ぎる　(p. 136, ℓ. 22)

・この家はきれいで住み心地がいいのですが, 一人で借りるには大き過ぎます。

・このクラスは, 私には難し過ぎます。もっとやさしいコースはありませんか。

・日本で売っている靴は, アメリカ人には小さ過ぎます。

5. ～したことがある　(p. 137, ℓ. 2)

・日本語で夢を見たことがありますか。スミスさんは, あるそうですよ。

・アメリカにも出前があります。何度かピザを出前してもらったことがあります。

・一人で海外旅行に出かけたことがあります。

6. $\left\{\begin{array}{l}～の\\～する\end{array}\right\}$ ためには・・・も辞さない　(p. 137, ℓ. 14)

・締め切りを守るためには, 徹夜も辞さない覚悟です。

—151—

・アメリカでは，個人の権利と利益を守るためには，訴訟_{そしょう}も辞しません。そのために，弁_{べん}護士_{ごし}が大勢いるのです。

・子供のためには何事も辞さないのが母親だ。

7．正直言って　　（p. 137, ℓ. 19）

・この映画は，内容が浅すぎて，正直言ってつまらないと思いました。

・あの子は，わがままで，正直言って，しつけがなっていない。どんな育てられ方をしたのだろう。

・正直言って，今の職場はおもしろくない。

8．〜するべきだ　　（p. 138, ℓ. 19）

・お客には，家事を手伝わせるべきではない。

・子供の仕事は遊びのはずだから，日本の子供はもっと遊ぶべきだ。

・日本人は人の和を大切にするべきだと考え，アメリカ人は個性を尊重するべきだと思っていると聞きました。

9．〜はざらに｛いる／ある｝　　（p. 139, ℓ. 17）

・この州には，ゴルフコースはざらにありますよ。

・日本には英語が読める人はざらにいます。

・アメリカには，ヨーロッパ語が分かる人はざらにいますが，東洋語が分かる人は本当に少ないです。

10．〜しないでいることができない　　（p. 140, ℓ. 9）

・金曜日の夜は，外出しないでいることができません。

・私は美しい物を見ると，買わないでいることができません。困ったものです。

・私はアップダイクのファンなので，新刊書が出ると買わないでいることができない。

三、日本人はなぜ前触れ_{まえぶ}もなしに訪問しますか。

四、前もって知らせることの意味を，アメリカ人の場合と日本人の場合を比べなさい。

五、ご主人が夜急に誰かを連れて帰った場合，アメリカ人の奥さんはどんな反応を示しますか。
　　　また，なぜ日本人の奥さんは歓待しますか。

六、日本人も前もって知らせることがあります。どんな場合だと思いますか。

七、日本人は，知らない人と目が合った時，どうしますか。

八、日本人は，乗り物の中で，本を読んだり眠ったり目を閉じて考え事をしたりして，時間をつぶ
　　します。なぜだと思いますか。

九、本文 140ページに出ている日本人の笑いは，どんな笑いだと思いますか。

十、日本人は相づちを非常によく打ちます。この相づちには，どんな意味がありますか。

十一、相づちの打ち方を日本語の場合と英語の場合を比較しなさい。

十二、電話中もおじぎをするのは，日本人にとって大変自然なことです。外国人の動作で異様に見
　　　えるものがありますか。例を挙げなさい。

十三、次の表現を勉強しなさい。
　　　　　1．二の舞いをふむ　　　　　　5．無駄使い
　　　　　2．骨折り損のくたびれもうけ　　6．本音を吐く
　　　　　3．無駄口　　　　　　　　　　　7．建前を言う
　　　　　4．無駄骨

十四、次の部首について名前と意味を勉強し，その部首の使われている漢字を挙げなさい。

　　　1　　2　　3　　4　　5　　6　　7　　8　　9　　10
　　　匕　　阝　　士　　冂　　欠　　羽　　戈　　殳　　⺌　　宀

LESSON 9　日本を囲む環境

　森山花子は、一度アメリカへ行ったことがある。**去年**の夏休みに三週間、高校時代の同**級**生の糸川由美子と一緒に**旅**行した。

　花子は、大学入学以来アルバイトをして旅行費用を貯金していたが、目**標**額に達することができなかった。そこで、**両親**に成人式の**晴**れ着はいらない
5　からと言って、**飛**行機代を出してもらった。社会人になっている**兄**も**姉**も、少し助けてくれた。二人は餞別だと言ったが、花子は**貸**してもらったつもりでいる。それまで色々と援助してもらったことがあるので、いくら**仲**の良い兄**弟**だからといって、これ以上甘えてはいけないと思っている。

　由美子の家は金持ちなので、両親が全部出してくれたそうだ。箱入りの由
10　美子は、厳しい親に反対されると思い、長い間アメリカ旅行の計画を秘密にしておいたそうだ。出発一ヵ月前に打ち明けたところ、両親は**想**像していた程反対しなかった。**犯罪**率の高い**危**険な**区域**は避けること、そして、いくら安全な地域でも夜間外出は控えること、この二つを**条件**に旅費を出してくれたそうだ。

15　花子は、自分の家が貧乏だと思ったことはないし、他人の幸福をうらやまない方**針**なので、由美子の親の甘さを別に何とも思わなかった。ただ、花子**側**の予算に限度があるので、すべて花子の懐具合に合わせたレベルで旅行してもらうことにした。**節**約を心掛け、できるだけ安価で安全な旅をしようと計画した。

20　花子は、持ち前の積極性を発**揮**して、旅行**案**内や旅行関係の雑**誌**を何**冊**も買い込んだ。そして、得られた情**報**を基に、成田〜サンフランシスコ間を、**団**体割引のきくチャーター便の**航**空**券**を手に入れた。パスポートを取得するのも、大使**館**にビザを申請するのも、すべて自分達でやった。旅行代理店に頼めば楽でよいが、手数料を含めて二**倍請求**される。大変な出費だ。自分
25　のことは自分でをモットーに頑張ったのである。アメリカ第一日目と最終日の**宿**の予約も、花子が日本から入れておいた。

　コースは、由美子（ゆみこ）の**希望**を入れて、サンフランシスコ→ヨセミテ国立公**園**→ロス→死の**谷**（デスバレー）→ラスベガス→グランド・キャニオンと回り、ケネディー大統領が暗**殺**されたダラスと航空**宇宙**局のあるヒューストンにも足を**延**ばすことにした。

　傷害保険に入ったが、やはり外国で病**院**の世話になるのは不安なので、**自己防衛**策として、日常使い慣れている**薬**を持参した。**胃腸薬**・目薬・かぜ薬などである。実際、ロスで由美子（ゆみこ）が熱を出し、花子は一晩中ホテルで**看護**したが、かぜ薬の**効果**で由美子（ゆみこ）は翌日元気になった。

　由美子（ゆみこ）は、**素直**で明**朗**な**性格**なので、花子の立てた計画を**批**判したりせず良い相**棒**になってくれた。ただし、花子は由美子（ゆみこ）の発熱後計画を**再**検**討**し、疲（つか）れている時は無理をしないで、**清潔**なホテルで休養をとることにした。

　アメリカ旅行は本当に楽しかった。そして旅行の後で**妙**（みょう）な自信が**芽**生えた。大学卒業後は大手の出**版**社に就職して、**編集**の仕事に就きたいと思っているが、もし**採**用してもらえなくても、旅行代理店に勤められると思えるようになったのである。会社回りをしている花子の先輩（せんぱい）達は、「日本の会社は、雇（こ）用機会**均等**法は建前だけで、本当は機会均等じゃないから、大卒の女子は損」とこぼしている。しかし、自分なら、**面倒**（めんどう）と言われている種々の手続きを、全部自分の手でやったのだから、出版社がだめでも外の就職先を何とか探し出せるのではないか、と思えた。**勇気**が**泉**のように**沸**（わ）いてくるのを感じた。

　アメリカ旅行中一番ショックだったのは、アメリカ人は、日本人がアメリカのことを知っている程、日本に対する知識を持ち合わせていないという発見をしたことである。そして、自分が母国をいかに**狭**（せま）い視野でしか見ていないか認識させられた点である。

　ある時、アメリカ人に"Which island are you from？"と聞かれ、言葉に詰（つ）まった。これだからアメリカ人の無知は困ると思いながらも、「東京から来ました」と答えた。すると、「東京はどの**島**にあるの」と、また尋（たず）

ねられた。そこで「東京は島にあるのではありません」と笑って答えておい
た。ところが、後になって、世界的視野に立ってみれば、北海道・本州・四
国・九州も島であり、これらを取り囲む約四千の島も島であるのだと気がつ
き、**穴**があったら入りたくなった。

5　メアリー　日本は四季の区別がはっきりしていますね。なぜですか。

　　花　子　多分、季節風や海流の影響(えいきょう)だと思うわ。

　　メアリー　季節風。

　　花　子　ええ。では、地理の説明から始めるわよ。これが日本**列**島の地図よ。
　　　　　　見たことがあるでしょう。(p. 158 参照)

10　メアリー　ええ、見たことがあります。一番大きいのが本州、二番目が北海道、
　　　　　　三番目が九州、そして一番小さいのが四国ですね。

　　花　子　そう。そしてここがアジア大陸で、ソ連(ソビエト社会主**義**共和国
　　　　　　連邦(れんぽう))・中国(中華人民共和国(ちゅうか じんみんきょうわこく))・北朝鮮(朝鮮民主主義人民共和(ちょうせん)
　　　　　　国)・韓国(かんこく)(大韓民国(かん))があるの。ここは台湾(たいわん)。日本は海に囲まれ
15　　　　　　ていて、海が国**境**になっているのだけれど、東と南が太平洋、西が
　　　　　　日本海と東シナ海、北がオホーツク海。

　　メアリー　日本はアジア大陸の東側にあって、太平洋に向かって**弓**を引いた形
　　　　　　をしているんですね。

　　花　子　そう、そして弓のように南北に長く東西に細いでしょう。東経は
20　　　　　　123度から154度。北緯(ほくい)は九州の南が３０度で、北海道の北が４６
　　　　　　度。

　　メアリー　オースチンからモントリオールまでですよ。長いですね。

　　花　子　面積はアメリカの２５分の１、カリフォルニアと大体同じよ。

　　メアリー　じゃあ、テキサスの４分の１ですね。

25　花　子　そう。そこを１都(東京都)・１道(北海道)・２府(大阪府(おおさか)・京

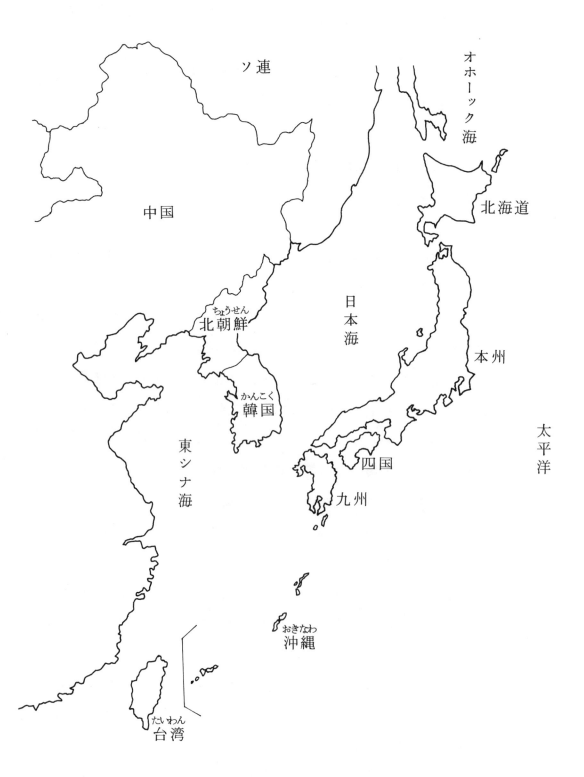

都府）・４３県に分割してあるの。そして、さらに**郡・市・**町・村に細分化されているの。

メアリー　アメリカの state － county － city に**似**ていますね。

花　子　でも、アメリカでは市を町に分けているかしら。

メアリー　区域の呼び方として使う名前はありますが、住所の中では使いませんね。

花　子　そうでしょう。それはともかくとして、日本の国土の４分の３が山地なのを知っているかしら。日本列島の中**央**を山地・山**脈**・火山帯が走っているの。温泉や地震が多いのは、火山国だからよ。

メアリー　そう言えば、地震がよくありますね。

花　子　そうなの。それから、**河**川にも特色があるわ。国土の幅が狭くて山が多いから、川は短くて急なの。交通には使えないけど雨量が多いから、水力発電や農業用水・工業用水そして飲料水に使ってるわ。

メアリー　山地が４分の３を占めるということは、国土の４分の１しか使えないということですか。

花　子　**耕**地は実際には１５パーセントぐらいよ。

メアリー　耕地って、何ですか。

花　子　田や**畑**の外、**牧**草地や果物を栽培する樹園地のことよ。

メアリー　随分土地がないんですね。ところで、先程、季節風も四季の変化に影響していると言っていましたね。少し説明して下さい。

花　子　季節風は、季節によって決まった方向に吹く風のことよ。夏は南東の風が太平洋から吹くので、太平洋側に雨が多いの。冬は北西の風が大陸から日本海を渡って吹くので、日本海側に雪をたくさん降らせるの。

メアリー　来日して間もなく、台風が来ました。

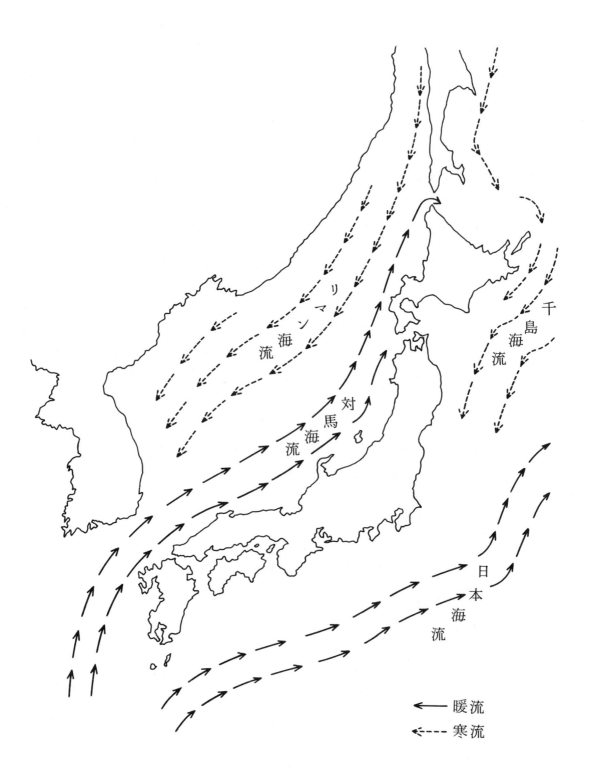

リマン海流

千島海流

対馬海流

日本海流

←── 暖流

←--- 寒流

花　子　台風は夏から秋にかけて発生するの。進路が一定していない上、通
　　　　過中洪水や高潮などの災害を引き起こすから、怖いわ。

メアリー　それから、梅雨も嫌ですね。

花　子　そう、六月の十日ごろから七月にかけて暮らしにくい時期よね。で
5　　　　も田植えをするお百姓さんにとっては、とても大事な雨なのよ。秋
　　　　に米俵を見たかったら、我慢するのね。

メアリー　海流の影響は。（p. 160 参照）

花　子　南から日本に向かって流れる暖流が二つ（日本海流・対馬海流）と、
　　　　北から日本に向かって流れる寒流が二つ（千島海流・リマン海流）
10　　　　あって、気温の調節の役目を果たしているの。

メアリー　周りが海だから、漁業が盛んでしょうね。

花　子　ええ、世界の中でも漁業人口の多い国だそうよ。灯台もたくさんあ
　　　　るし、塩田も 1971 年まではあったのよ。そうそう、日本人は明治
　　　　維新まで肉を食べなかったのを知っているかしら。

15　メアリー　それまで何を食べていたんですか。

花　子　魚と穀物よ。鯨も大きな魚だと思っていたのよ。このごろ動物愛護
　　　　の立場から捕鯨を禁止する声が高まっているけれど、鯨は日本人に
　　　　とって、今も昔も大切なたんぱく質源なのよ。

メアリー　・・・。

■ 語彙
  ご い

かんきょう		
環境	environment, surroundings	

L. 9−2 (p. 155)

きょねん	
去年	last year

さんしゅうかん	
三週間	three weeks

こうこうじだい	
高校時代	high school days

どうきゅうせい	
同級生	classmate

いとかわゆみこ	
糸川由美子	Yumiko Itokawa

りょこう	
旅行する	to travel

にゅうがく	
入学	entering school

アルバイト	part-time job

ひよう	
費用	expense

もくひょう	
目標	goal

たっ	
達する	to reach

りょうしん	
両親	parents

せいじんしき	
成人式	coming-of-age day ceremony

は ぎ	
晴れ着	one's Sunday best, formal kimono

ひこうき	
飛行機	plane

あに	
兄	elder brother

あね	
姉	elder sister

せんべつ	
餞別	going-away present

か	
貸す	to loan, to lend

えんじょ	
援助する	to support

なか	
仲	terms

きょうだい	
兄弟	brothers

あま	
甘える	to behave like a pampered child

かねも	
金持ち	rich

はこい	
箱入り	sheltered

きび	
厳しい	strict

はんたい	
反対する	to oppose

けいかく	
計画	plan

ひみつ	
秘密	secret

う あ	
打ち明ける	to reveal

そうぞう	
想像	imagination

はんざい	
犯罪	crime

りつ	
〜率	... rate

きけん	
危険	danger

くいき	
区域	area, section

さ	
避ける	to avoid

ちいき	
地域	area

やかん	
夜間	at night

ひか	
控える	to refrain

じょうけん	
条件	condition (Also see L.1-6)

りょひ	
旅費	travel expense

びんぼう 貧乏	poor		こうくうけん 航空券	plane ticket
こうふく 幸福	happy		パスポート	passport
うらやむ	to envy		しゅとく 取得する	to obtain
ほうしん 方針	policy		たいし かん 大使館	embassy
あま 甘さ	overindulgence		ビザ	visa
がわ 〜側	... side (Also see L.7-9)		しんせい 申請する	to apply
よ さん 予算	budget		りょこうだいり てん 旅行代理店	travel agency
げんど 限度	limit		らく 楽	easy
ふところ 懐	one's finances		て すうりょう 手数料	commission
ぐ あい 〜具合	condition		ふく 含める	to include
せつやく 節約する	to scrimp		ばい 〜倍	... times
あんか 安価	inexpensive		せいきゅう 請求する	to request
も まえ 持ち前	element		モットー	motto
せっきょくせい 積極性	enterprising spirit		だいいちにちめ 第一日目	the first day
はっき 発揮する	to exhibit		さいしゅうび 最終日	the last day
りょこうあんない 旅行案内	travel guide		やど 宿	inn, place to stay
ざっし 雑誌	magazine		よ やく 予約	reservation
さつ 冊	quantifier for books and magazines		よ やく い 予約を入れる	to make a reservation

L. 9-3 (p. 156)

か こ 買い込む	to buy up		コース	course, route
じょうほう 情報	information		き ぼう 希望	hope
サンフランシスコ	San Francisco		ヨセミテ	Yosemite
だんたい 団体	group		こうえん 公園	park
わりびき 割引	discount		ロス	Los Angeles
びん チャーター便	charter flight		し 死	death

たに 谷	valley	かんご 看護	care (of the sick)
デスバレー	Death Valley	こうか 効果	effect
ラスベガス	Las Vegas	すなお 素直	obedient
グランドキャニオン	Grand Canyon	めいろう 明朗	cheerful
ケネディー	Kennedy	せいかく 性格	disposition
あんさつ 暗殺する	to assasinate	ひはん 批判する	to criticize
ダラス	Dallas	あいぼう 相棒	companion
うちゅう 宇宙	space	はつねつ 発熱	developing a fever
こうくううう ちゅうきょく 航空宇宙局	NASA	さい 再〜	re- ...
ヒューストン	Houston	けんとう 検討する	to examine
あし の 足を延ばす	to extend one's trip	つか 疲れる	to become exhausted
しょうがいほけん 傷害保険	accident insurance	むり 無理をする	to burn one's candle at both ends
がいこく 外国	foreign country	せいけつ 清潔	sanitary
びょういん 病院	hospital	きゅうよう 休養	rest
せわ 世話になる	to be taken care of	みょう 妙	odd
ふあん 不安	uneasy, worried	じしん 自信	confidence
じこ 自己	self	めば 芽生える	to spring up
ぼうえい 防衛	defense	おおて 大手	large
くすり 薬	medicine	しゅっぱんしゃ 出版社	publisher
い 胃	stomach	しゅうしょく 就職	getting a position
ちょう 腸	intestine	へんしゅう 編集	editing
め 目	eye	しごと っ 仕事に就く	to get a position
かぜ	cold	さいよう 採用する	to adopt
じっさい 実際	in reality	かいしゃまわ 会社回り	company visit
ひとばんじゅう 一晩中	all night long		

せんぱい 先輩	seniors		き せつ 季節	season
きんとう 均等	equal		かぜ 風	wind
そん 損	disadvantage		き せつふう 季節風	seasonal wind
こぼす	to complain		かいりゅう 海流	current
めんどう 面倒	troublesome		えいきょう 影響	influence
しゅじゅ 種々	various		ち り 地理	geography
て つづ 手続き	procedure		れっとう 列島	chain of islands
さが だ 探し出す	to find out		ち ず 地図	map
ゆうき 勇気	courage		アジア	Asia
いずみ 泉	fountain		たいりく 大陸	continent
はっけん 発見 (を) する	to discover		れん ソ連	U. S. S. R.
ぼ こく 母国	home country		ソビエト	Soviet
し や 視野	perspective		しゃかいしゅぎ 社会主義	socialism
にんしき 認識	recognition		きょうわこく 共和国	republic
ことば っ 言葉に詰まる	do not know what to say		れんぽう 連邦	union of nations
む ち 無知	ignorance		ちゅうごく 中国	China
しま 島	island		ちゅうか 中華	Chinese

L. 9-4 (p. 157)

			じんみん 人民	people
ほっかいどう 北海道	Hokkaido		きたちょうせん 北朝鮮	North Korea
ほんしゅう 本州	Honshu		ちょうせん 朝鮮	Korea
し こく 四国	Shikoku		みんしゅしゅぎ 民主主義	democracy
きゅうしゅう 九州	Kyushu		かんこく 韓国	South Korea
あな 穴	cave		だいかんみんこく 大韓民国	South Korea
あな は 穴があったら入りたい	I wish I could sink through the floor.		たいわん 台湾	Taiwan
			うみ 海	sea

こっきょう 国境	(national) border	さいぶんか 細分化する	to subdivide
ひがし 東	east	に 似ている	to resemble
みなみ 南	south	こくど 国土	land, territory
にし 西	west	さんち 山地	mountainous region
に ほんかい 日本海	the Japan Sea	ちゅうおう 中央	center
ひがし かい 東シナ海	the East China Sea	さんみゃく 山脈	mountain range
きた 北	north	か ざんたい 火山帯	volcanic zone
かい オホーツク海	the Sea of Okhotsk	おんせん 温泉	hot spring
ゆみ 弓	bow	じ しん 地震	earthquake
ほそ 細い	fine, narrow	か ざんこく 火山国	volcanic country
とうけい 東経	east longitude	か せん 河川	river
ほくい 北緯	north latitude	とくしょく 特色	characteristics
モントリオール	Montreal	はば 幅	width
ぶん 25分の1	one twenty-fifth	かわ 川	river
ぶん 〜分の･･･	... th(s)	う りょう 雨量	rainfall
と 都	To	すいりょく 水力	hydraulic power
どう 道	Do	はつでん 発電	generation of electric power
ふ 府	Fu	のうぎょう 農業	agriculture

L. 9-6 (p. 159)

		ようすい 〜用水	water for ...
けん 県	Ken, prefecture	いんりょうすい 飲料水	drinking water
ぶんかつ 分割する	to divide	し 占める	to occupy
ぐん 群	Gun, county	こうち 耕地	plowland
し 市	Shi, city, town	た 田	rice paddy
ちょう 町	Cho, section, district	はたけ 畑	field
そん 村	Son, village		

ぼくそうち 牧草地	pasture	に ほんかいりゅう 日本海流	the Japan Current, Kuroshio
くだもの 果物	fruit	つしま かいりゅう 対馬海流	the Tsushima Current, Tsushima
さいばい 栽培する	to cultivate	かんりゅう 寒流	cold current
じゅえんち 樹園地	fruit farm	ち しまかいりゅう 千島海流	the Chishima Current, Oyashio
さきほど 先程	a while ago	かいりゅう リマン海流	the Riman Current
ふ 吹く	to blow	き おん 気温	temperature
なんとう 南東	southeast	ちょうせつ 調節	control
ほくせい 北西	northwest	やくめ は 役目を果たす	to play a role of
ふ 降る	to fall	ぎょぎょう 漁業	fishing industry
らいにち 来日する	to come to Japan	とうだい 灯台	lighthouse
たいふう 台風	typhoon	えんでん 塩田	salt garden

L. 9-8 (p. 161)

はっせい 発生する	to occur	めいじ い しん 明治維新	Meiji Restoration
しんろ 進路	course	くじら 鯨	whale
つうか 通過	passage, transit	あいご 愛護	protection
こうずい 洪水	flood	たちば ～の立場から	from a viewpoint of ...
たかしお 高潮	flood tide	ほ げい 捕鯨	whaling
さいがい 災害	calamity	きんし 禁止する	to prohibit
ひ お 引き起こす	to make ... happen	たか 高まる	to rise
こわ 恐い	horrifying	しつ たんぱく質	protein
つ ゆ 梅雨	rainy season	げん ～源	sourse of ...
た う 田植え	rice planting		
ひゃくしょう 百姓	farmer		
こめだわら 米俵	straw rice-bag		
だんりゅう 暖流	warm current		

■ 新出漢字

1	去	3	(土)	キョ	past	21	側	4	(イ)	かわ，がわ	side
2	級	3	(糸)	キュウ	grade	22	算	2	(竹)	サン	reckoning
3	旅	3	(方)	リョ	travel	23	節	4	(竹)	セツ	joint season
4	標	4	(木)	ヒョウ	sign	24	揮	6	(扌)	キ	to wield
5	両	3	(一)	リョウ	both	25	案	4	(宀)	アン	plan
6	晴	2	(日)	は (れる)	to clear	26	誌	6	(言)	シ	to write down
7	飛	4	(飛)	ヒ	to fly	27	冊	6	(冂)	サツ	suffix for counting books
8	兄	3	(口)	あに	elder brother	28	報	5	(土)	ホウ	repot
9	姉	4	(女)	あね	elder sister	29	団	5	(囗)	ダン	assocation
10	貸	5	(貝)	か (す)	to lend	30	航	4	(舟)	コウ	to sail on the water
11	仲	6	(イ)	なか	relations	31	券	5	(刀)	ケン	ticket
12	弟	2	(弓)	ダイ	younger brother	32	館	3	(食)	カン	building
13	想	4	(心)	ソウ	idea	33	倍	4	(イ)	バイ	suffix denoting "times"
14	犯	5	(犭)	ハン	to commit	34	宿	4	(宀)	やど	inn
15	危	6	(ク)	キ	dangerous	35	希	4	(巾)	キ	desire
16	区	4	(匸)	ク	ward	36	望	4	(王)	ボウ	desire
17	域	6	(土)	イキ	border	37	園	3	(囗)	エン	garden
18	条	5	(木)	ジョウ	clause in a law	38	谷	2	(谷)	たに	valley
19	件	5	(イ)	ケン	matter	39	殺	4	(殳)	サツ	to kill
20	針	6	(金)	シン	needle	40	宇	6	(宀)	ウ	sky

41	宙	6	(宀)	チュウ	space	61	討	6	(言)	トウ	to attack
42	延	6	(廴)	の（ばす）	to extend	62	清	4	(氵)	セイ	pure
43	傷	6	(イ)	ショウ	injury	63	潔	5	(氵)	ケツ	pure
44	院	3	(阝)	イン	suffix for "institution"	64	芽	4	(艹)	め	bud
45	己	6	(己)	コ	oneself	65	版	5	(片)	ハン	printing
46	防	5	(阝)	ボウ	to defend	66	編	5	(糸)	ヘン	to edit
47	衛	5	(彳)	エイ	to protect	67	採	5	(扌)	サイ	to employ
48	薬	3	(艹)	ヤク くすり	medicine	68	均	5	(土)	キン	equality
49	胃	4	(田)	イ	stomach	69	等	3	(竹)	トウ	class
50	腸	4	(月)	チョウ	intestines	70	勇	4	(マ)	ユウ	brave
51	看	6	(目)	カン	to watch	71	泉	6	(白)	いずみ	fountain
52	護	5	(言)	ゴ	to protect	72	島	3	(山)	トウ しま	island
53	効	5	(力)	コウ	effect	73	穴	6	(宀)	あな	cave
54	果	5	(木)	カ は（たす）	result to carry out	74	列	3	(歹)	レツ	line
55	素	5	(糸)	ス	origin	75	義	5	(羊)	ギ	justice
56	朗	6	(月)	ロウ	cheerful	76	境	5	(土)	キョウ	boundary
57	格	5	(木)	カク	status	77	弓	6	(弓)	ゆみ	bow
58	批	6	(扌)	ヒ	to criticize	78	県	3	(目)	ケン	prefecture
59	棒	6	(木)	ボウ	club	79	郡	4	(阝)	グン	county
60	再	5	(一)	サイ	re-(prefix)	80	市	2	(亠)	シ	city

81	似	5	(イ)	に（る）	to resemble
82	央	4	(央)	オウ	center
83	脈	4	(月)	ミャク	range
84	河	5	(シ)	カ	river
85	耕	5	(耒)	コウ	to till
86	畑	3	(火)	はたけ	field
87	牧	4	(牛)	ボク	pasture
88	路	3	(足)	ロ	route
89	災	5	(火)	サイ	disaster
90	植	3	(木)	う（える）	to plant
91	俵	5	(イ)	たわら	straw bag
92	漁	4	(シ)	ギョ	fishing
93	灯	4	(火)	トウ	light
94	塩	4	(土)	エン しお	salt
95	治	4	(シ)	ジ	to rule over
96	禁	5	(示)	キン	to forbid
97	止	2	(止)	シ	to stop

■ 練習

一、次の言葉を、日本語で説明しなさい。

1. 旅行	18. 具合	35. 妙 (みょう)
2. 費用	19. 節約	36. 採用
3. 目標	20. 安価	37. 面倒 (めんどう)
4. 成人	21. 積極 (↔)	38. 手続き
5. 晴れ着 (↔)	22. 旅行案内	39. 損
6. 貸す (↔)	23. 団体	40. こぼす
7. 計画	24. 代理	41. 勇気
8. 秘密	25. 手数料	42. 発見
9. 想像	26. 請求 (せいきゅう)	43. 母国
10. 控える	27. 予約	44. 認識
11. 条件	28. 暗殺	45. 季節風
12. 旅費	29. 傷害保険	46. 社会主義 (↔)
13. 貧乏 (びんぼう)	30. 実際	47. 民主主義
14. 幸福	31. 看護	48. 特色
15. 方針	32. 素直	49. 調節
16. 予算 (↔)	33. 批判	50. 漁業
17. 懐 (ふところ)	34. 清潔 (↔)	

二、次の例にならって、短文を作りなさい。

1. ～以来・・・している　　(p. 155, ℓ. 3)

　　・中学入学以来英語を<u>勉強しています</u>が，なかなか上達しません。

　　・<u>東京オリンピック以来</u>，開会式のあった十月十日は「体育の日」という祭日に<u>なっています</u>。

－171－

・スミスさんは，来日以来書道を習っているそうです。偉(えら)いですね。

2．〜したつもりだ　　(p. 155, ℓ. 6)

・その件については，よく説明したつもりです。

・この課は，よく勉強したつもりですが，試験はあまりよくできませんでした。

・借りは返したつもりです。

3．〜しておく　　(p. 155, ℓ. 11)

・飛行機の切符(きっぷ)を手配しておきました。

・今晩お客さんが見えるので，掃除(そうじ)をしておかなくてはいけません。

・時間のある時に，借金してでも外国を見ておくといい。

4．〜して $\left\{ \begin{array}{c} いる \\ いた \end{array} \right\}$ 程・・・ない　　(p. 155, ℓ. 12)

・試験は思っていた程難しくありませんでした。

・アメリカは，想像していた程，実力社会ではない。まず，学歴で足切りをする学歴社会だと思う。

・ニューヨークは，日本人が恐れている程，危険な町ではない。

5．〜を基(もと)に・・・する　　(p. 155, ℓ. 21)

・他人から借りた金を基(もと)に会社を始めるのは大変だ。

・外国での生活体験を基(もと)に何か書いて下さい。

・過去の業績を基(もと)に将来性を予想する。

6．〜をモットーに・・・する　　(p. 155, ℓ. 25)

・どんなことをモットーに生活していますか。

・今日できることを明日まで延ばすなをモットーに，今日できることは今日してしまうようにしています。

・健康第一をモットーに生活しているので，酒もたばこもやりません。

7．～がだめ $\left\{ \begin{array}{l} なら \\ でも \end{array} \right\}$ ・・・がある　　(p. 156, ℓ. 18)

・スミスさんがだめでもブラウンさんがいますから，心配しないで下さい。

・山田さんは，菜食主義者でしたか・・・。肉がだめなら魚がありますが，いかがですか。

・雨が降って屋外プールがだめなら室内プールがありますよ。

8．～なのは・・・だからだ　　(p. 159, ℓ. 9)

・日本で地震が多いのは，火山がたくさん活動しているからだ。

・スミスさんが日本の会社に就職できたのは，日本語が大変上手だったからだ。

・この町の人口が増えているのは，気候がよく住みやすいからだ。

9．$\left\{ \begin{array}{l} ～する \\ ～という \end{array} \right\}$ 声が高まっている　　(p. 161, ℓ. 17)

・日本側の貿易黒字の額に圧倒されたためか，アメリカでは，日本のやり方は公平ではな

　いという声が高まっている。

・覚醒剤使用禁止を訴える声が高まっている。

・教員の待遇を改善すべきだとの声が高まっている。

10．今も昔も　　(p. 161, ℓ. 18)

・アメリカでは，自由が今も昔も最も尊重されている。

・日本で今も昔も大切にされているのは、人の和でしょう。

・若者は，今も昔も反体制的な考え方を好む。

北海道地方

札幌 ● 1

● 2

5 ● ● 3

東北地方

6 ● ● 4

15 ● ● 7

京都
16
神戸 17
10 ● 9
20 ● 8
中国地方 18 11 関東地方
31 21 19 13 12 東京
北九州 32 33 28 26 25 23 14 川崎
福岡 34 27 24 名古屋 横浜
35 22
37
41 40 38 39 36 30 29 近畿地方 中部地方
42 44
43 45 大阪
46 四国地方
九州地方

47

三、八地方と人口百万以上の都市（p.174 参照）

<ruby>札幌<rt>さっぽろ</rt></ruby>　東京　<ruby>横浜<rt>よこはま</rt></ruby>　<ruby>川崎<rt>かわさき</rt></ruby>　名古屋　京都　<ruby>大阪<rt>おおさか</rt></ruby>　<ruby>神戸<rt>こうべ</rt></ruby>　<ruby>福岡<rt>ふくおか</rt></ruby>　北九州

1．北海道地方　　　5．<ruby>近畿<rt>きんき</rt></ruby>地方

2．東北地方　　　　6．中国地方

3．関東地方　　　　7．四国地方

4．中部地方　　　　8．九州地方

四、県と<ruby>県庁<rt>けんちょう</rt></ruby>所在地（p.174 参照）

1. 北海道（道）	札幌	17. 石川	<ruby>金沢<rt>かなざわ</rt></ruby>	33. 岡山	岡山			
2. 青森	青森	18. <ruby>福井<rt>ふくい</rt></ruby>	<ruby>福井<rt>ふくい</rt></ruby>	34. 広島	広島			
3. 岩手	<ruby>盛岡<rt>もりおか</rt></ruby>	19. <ruby>山梨<rt>やまなし</rt></ruby>	<ruby>甲府<rt>こうふ</rt></ruby>	35. 山口	山口			
4. <ruby>宮城<rt>みやぎ</rt></ruby>	<ruby>仙台<rt>せんだい</rt></ruby>	20. 長野	長野	36. 徳島	徳島			
5. 秋田	秋田	21. <ruby>岐阜<rt>ぎふ</rt></ruby>	<ruby>岐阜<rt>ぎふ</rt></ruby>	37. <ruby>香川<rt>かがわ</rt></ruby>	<ruby>高松<rt>たかまつ</rt></ruby>			
6. 山形	山形	22. <ruby>静岡<rt>しずおか</rt></ruby>	<ruby>静岡<rt>しずおか</rt></ruby>	38. <ruby>愛媛<rt>えひめ</rt></ruby>	<ruby>松山<rt>まつやま</rt></ruby>			
7. 福島	福島	23. 愛知	名古屋	39. 高知	高知			
8. <ruby>茨城<rt>いばらぎ</rt></ruby>	<ruby>水戸<rt>みと</rt></ruby>	24. 三重	<ruby>津<rt>つ</rt></ruby>	40. <ruby>福岡<rt>ふくおか</rt></ruby>	<ruby>福岡<rt>ふくおか</rt></ruby>			
9. <ruby>栃木<rt>とちぎ</rt></ruby>	宇都宮	25. 滋賀	<ruby>大津<rt>おおつ</rt></ruby>	41. <ruby>佐賀<rt>さが</rt></ruby>	<ruby>佐賀<rt>さが</rt></ruby>			
10. <ruby>群馬<rt>ぐんま</rt></ruby>	前橋	26. 京都（府）	京都	42. <ruby>長崎<rt>ながさき</rt></ruby>	<ruby>長崎<rt>ながさき</rt></ruby>			
11. <ruby>埼玉<rt>さいたま</rt></ruby>	<ruby>浦和<rt>うらわ</rt></ruby>	27. <ruby>大阪<rt>おおさか</rt></ruby>（府）	<ruby>大阪<rt>おおさか</rt></ruby>	43. <ruby>熊本<rt>くまもと</rt></ruby>	<ruby>熊本<rt>くまもと</rt></ruby>			
12. 千葉	千葉	28. 兵庫	<ruby>神戸<rt>こうべ</rt></ruby>	44. <ruby>大分<rt>おおいた</rt></ruby>	<ruby>大分<rt>おおいた</rt></ruby>			
13. 東京（都）	東京	29. <ruby>奈良<rt>なら</rt></ruby>	<ruby>奈良<rt>なら</rt></ruby>	45. <ruby>宮崎<rt>みやざき</rt></ruby>	<ruby>宮崎<rt>みやざき</rt></ruby>			
14. <ruby>神奈川<rt>かながわ</rt></ruby>	<ruby>横浜<rt>よこはま</rt></ruby>	30. 和歌山	和歌山	46. <ruby>鹿児島<rt>かごしま</rt></ruby>	<ruby>鹿児島<rt>かごしま</rt></ruby>			
15. <ruby>新潟<rt>にいがた</rt></ruby>	<ruby>新潟<rt>にいがた</rt></ruby>	31. 鳥取	鳥取	47. <ruby>沖縄<rt>おきなわ</rt></ruby>	<ruby>那覇<rt>なは</rt></ruby>			
16. 富山	富山	32. 島根	<ruby>松江<rt>まつえ</rt></ruby>					

五、海外旅行をする時の手続きについて説明しなさい。

六、日本はなぜ四季の区別がはっきりしていますか。

七、日本はなぜ地震(じしん)が多いと思いますか。

八、日本の周囲には，どんな海流が流れていますか。そして，どんな役目を果たしていますか。

九、日本人は，百年程前まで動物の肉を食べていませんでした。なぜだと思いますか。また，それまで何を食べていましたか。

十、日本の地理の特長を説明しなさい。

十一、アメリカの周りには，どんな海流が流れていますか。

十二、アメリカを地方に分けると，どのように分けられますか。また，各地方の代表的な都市にはどんな所がありますか。

十三、アメリカの気候について説明しなさい。

十四、次の表現を勉強しなさい。

     1．良薬口に苦し

     2．毒にも薬にもならない

     3．いい薬になる

十五、次の部首について名前と意味を勉強し，その部首の使われている漢字を挙げなさい。

1	2	3	4	5	6	7	8	9	10
方	一	犭	匸	冂	舟	食	夊	牛	目

LESSON 10 真 の 国 際 人 と は

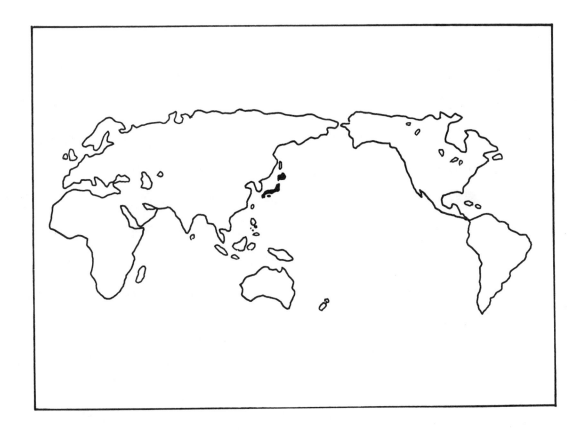

　日本に着いて間もないころ、ジョンは、日本の国旗を見る機会が少ないし、国歌を聞くこともあまりないので、日本人は国家意識が薄いと思っていた。白地に赤の日の丸は、祝祭日にしか見かけないし、君が代は、スポーツの国際試合か何かの式典以外には、歌われない。きれいな曲なのに、歌詞を明確に発音せず、仕方なさそうに歌っているように見える。星条旗を毎日見、ことあるごとに国歌を大声で合唱するアメリカ国民と、何と対照的であることか。　5

　アメリカを出発する前、日本人の先生から、大学で友達を増やすにはサークル活動をするのが一番と勧められたので、大学のマラソン同好会に入ることにした。すると、早速ユニホームを作らされた。指定の洋服屋に行くと、等身大の鏡の前に立たされた。店の主人が、巻き尺で寸法を測って記録した。　10 壱万円札を二枚払うと、「金弐万円也」と書いた領収書をくれた。一男の話によると、新札になってから紛らわしくなったそうだが、ジョンの目からすれば、日本の貨幣は金額によって色も大きさも異なるので便利だ。

　今日は、皇居外苑で、六大学マラソン同好会連盟の主催によるマラソン大会がある。皇居は天皇陛下と皇后陛下のお住まいで、徳川幕府が統治していた　15 ころ、江戸城と呼ばれていた。一種の革命である明治維新が起こり、将軍の君臨が終わり、それまで京都にあった皇室を江戸の江戸城へ移した。東の京都であるので、江戸は東京と呼ばれるようになった。

　天皇制は、おもしろい制度だと思う。天皇は日本の象徴であるという。一人の天皇が一つの年号を持つので、昭和六十二年ということは、今の天皇が　20 六十一年も即位なさっていることになる。大変な期間だ。天皇は、憲法によると、内閣の助言と承認により、形式的・儀礼的な国事行為を行うだけで、政治上の権限は一切持たない。政府は内閣総理大臣である首相によってつかさどられている。

　日本の皇室は、イギリスの王室に似ているようだ。アメリカの大統領は、　25 天皇・首相両方の役職を兼ねていると言えないこともない。

宮城を**包**むようにして堀があるが、この堀に**沿**って走る。一周約五キロ、短距離でスピードを競う。ジョンには初めてのコースで、少し心配だが、**矢**印に従って走るので迷う心配は無用と言われた。スタート地点の桜田門に来てみると、もう選手が大勢集まっていた。都心とは思えない程、空気がおいしい。**肺**の**奥**まで**染**み**渡**るようだ。深呼吸を何度もしてみる。。

スタート五分前に、**拡**声器で、スタート間近のアナウンスと注意事項の説明が行われた。初めは、体が**羽**のように軽かったので、「これはいける」と思った。背の**低**い日本人選手の**群**れの中で一人だけ背の高いジョンは、**酸**素を独り**占**めしているような気がした。**敵**は自分自身以外に**誰**もいないと思えた。

ところが、二キロ地点からの上り**坂**あたりから、息が苦しくなった。酸素が足りないように感じた。しかし、酸素を吸って二酸化炭素を出すという**基**本は同じなのだから、外の選手も苦しいに**違**いないと言いきかせつつ、走り続けた。そのうち、左右に**誰**もいなくなった。そして、右手に**救護班**のテントを見ながら、ゴールのテープを切った。

一位になったジョンの周りに、**人垣**ができた。この大会で外人選手が優勝するのは前代**未**聞だと言う。しかも、ジョンは大会新記録を出したそうだ。ジョンは、何が何だか分からなかった・・・。

表彰式が始まり、ジョンは、**紅**白の幕の**垂**れているテントの前で、**賞状**とトロフィーをもらった。式の後、母校の**栄誉**をたたえ、同好会の仲間と一**緒**に校歌を歌った。大学の名入りのユニフォームを着て、校歌を歌う。感極まって泣いている者さえいた。愛校精神が**旺盛**なのだろう。しかし変だ。校歌は大声で歌うのに、国歌は大声で歌わない。どう考えても**妙**だ。**納得**できない。

紀元前から存在する歴史のある国なのに、なぜ日本人は国旗や国歌を大事にしないのだろう。

　校歌といえば、日本は小学校・中学校・高校・大学の**諸**段階で、校歌があるそうだ。会社の中にも独自の歌を持っている所がたくさんあるというから、おもしろい。ある大学は、**創**立百周年記念行事の一つとして、大学の歌を録音したレコードを制作したそうだ。両面で二時間もある。大学関係の歌が、一体何曲あるのだろう。　　　　　　　　　　　　　　　　　　　　　　　5

　マラソン同好会は、先輩・後輩の秩**序**のはっきりした**縦**社会だ。先輩には敬語を使わなければいけないから、敬語を知らないと**処**置なしだ。小さい組織ながらも、会則や運営体**系**があり、役員を投票で選んでいる。社会の**縮**図を見ているようだ。幸いなことに、**根**が明るく順応性に富んだジョンは、このクラブの雰囲気にすぐ染まってしまった。それは、**郷**に入っては郷に従え　　10をモットーに、外の人間がやることはほとんどみなやってみたからである。**貴**重な体験を積むことができた。

　メアリーは、山田家のお母さんの知性を快いものに思っている。お母さんは、**詩**や小説を書くのが好きで、書く文章も分かりやすい。**昨**年から**俳句**も始めたそうで、時々同人雑誌に投稿している。俳句仲間の林さんと**竹田**さん　　15が遊びに来た時、俳句には季語という季節の感じを表現する言葉があること、そして創作中同じ季語を使わないようにするのが俳句仲間の**仁**義であること、この二点を教えてくれた。

　日本人の季節感とアメリカ人の季節感は、重複するとは限らない。従って、日本文学を根本から理解するためには、季語そのものの勉強はもちろんのこ　　20と、日本の風**俗**・習慣の勉強が不可欠になる。ちょうど、**聖**書の知識があると英語が理解しやすいように。仏教などの**宗**教の知識があれば、日本文学はより理解しやすいものになるだろう。

　日本の風俗・習慣に関する知識を豊かにする意味で、メアリーは時々県**庁**の展示室に出かける。県庁は、**郵**便局の本局・**裁**判所・市役所・警察**署**など　　25

のあるシティーセンターと呼ばれる区域の一角にあり、大変便利である。バ
ス賃百五十円さえあれば、市内のほとんどどこへでも行くことができる。乗
換券の存在が無いことだけが、不便といえば不便である。

5 　県庁内の展示物は、季節ごとに変わるが、常設コーナーに展示されている
のは、地元の武士が使っていた刀・かぶと・よろいなどの武具である。この
侍の墓は、県庁の裏の墓地の中にあると聞いている。

　この間花火を雪子ちゃんと見に行った時のことだ。花火大会は、シティー
センターの隣の公園内にある直径一キロ程の池のほとりで開催された。花
火を見ながら、雪子ちゃんは、以前から妹が欲しくて仕方がなかったこと、
10 しかしメアリーの出現でお姉さんができたようでとても満足していること、
などを話してくれた。雪子ちゃんにこんな優しいことを言ってもらえただけ
でも、日本に来たかいがあったと思った。

　暖かい気持ちになって帰る途中、子犬の鳴き声がした。暗くてメアリーに
はよく見えなかったが、動物好きの雪子ちゃんは、まるで磁石に吸い寄せら
15 れるように、鳴き声のする方へ行き、子犬を見つけ出してきた。首輪をして
いないところを見ると、捨て犬だ。

　何日か生き延びられると仮定しても、いずれは餓死するのが分かっている
のに、こんな小さな動物を捨てるなんて残酷だ。保健所へ持って行って処理
してもらった方が、苦しみが短くていいのに。日本人は一体動物の権利をど
20 のように考えているのだろうか。せっかく暖かい気持ちでいたのに、血が凍
ってしまった。

　今日のコンパは、来月アメリカに帰るジョンの送別会も兼ねているので、
ジョンはお客さんを連れて来てもよいと言われた。二人まで大丈夫とのこと
だったので、恩師の黒川先生とガールフレンドのメアリーを誘った。
25 　このマラソン同好会のコンパは、必ずカラオケのある所で開かれる。カラ

オケというのは、伴奏用のオーケストラだけ録音された、声の部分は空のテープという意味である。このテープをかけながら、マイクを持って舞台で歌うのである。酒を飲み、スターや歌手になったつもりで歌を歌い、雑談に花を咲かせる——これが日本人の意志疎通手段である。

　初めは面食らったが、慣れてしまうと非常に居心地が良い。酔っている姿を見せても、アルコール中毒と呼ばれないばかりか、お酒を楽しんでいると見てもらえる。飲んで雑談の最中、何か言い合いになっても、酒の上のことだからという理由で、本人達も周囲の人達も忘れてしまう。何と許容力のある社会なのだろう。

　大きな声で歌を歌って、ストレスを発散することもできる。ふだん、個人としての意見よりも全体の調和を重んじる社会にあって、カラオケは、個性回復・個性主張の絶好の機会なのではないだろうか。スポットライトを浴びてスター気分に浸れるのだから。

　さらに、仲間や友達を大切にする傾向が強く、個人的な問題でも親身になって相談に乗ってくれる。何と暖かい友人関係なのだろう。これでは、精神科医など要らないはずだ。

　人前で歌うのが嫌いな内気な人には、赤ちょうちんと呼ばれる気さくな飲み屋がある。アルコールがだめな人には、喫茶店がある。とにかく、日本には、話を聞いてくれたりアドバイスをしてくれたりする友達が大勢いるのだ。

　ビールのグラスを空けながら、考えこんでいると、今まで日本で経験した様々な出来事が走馬灯のように浮かんできた。そして、この体験を通して、アメリカでは適切と思われていることも、日本の文化の中では必ずしも同様の評価を与えられるとは限らないことを学んだような気がした。今後何か不可解なことがあっても、即座に判断したり感情的に反応したりすることはしないだろうと思った。なぜなら、日本での一年にわたる留学生活を通して、

5

10

15

20

25

表面に現れた現象の裏にある文化背景を考える習慣が身についたからである。

　日本人は、よく「国際人」という表現を使うが、このような習慣ができた自分は国際人と呼べるかも知れないと思った。

　メアリーは、同じコンパ会場で、テキサスに戻った時の生活を想像して、
5　憂うつになっていた。二度目のカルチャーショックを考えていたのである。

　一度目のカルチャーショックは、もちろん日本に来た時経験したものだ。一年日本人の家族と一緒に生活して、日本人の考え方や感じ方が理解できるようになったが、同時に、自分のアメリカ人としての本質も少し変化したように感じる。視野も広くなったような気がする。日本の生活がほぼ快適
10　と言える程度に、自分は変わったのである。

　この変わった自分が生まれ育ったテキサスに帰って、外国人になったように感じるのではないだろうか。きっとアメリカの生活に適応できるようになるまで、二度目のカルチャーショックを体験するだろう。以前親しくしていた友達は、自分のことを理解してくれるだろうか。日本での経験を説明して
15　も、分かってくれるだろうか。何だか不安になってきた・・・。

　でも、もう元へは戻れないし、視野が広まったのは悪いことではない。悪いのは、自国の文化に適応できないでいることだ。

　メアリーは、元気が出てきた。そうだ、外国生活を体験した後だから、アメリカの文化や発想法を客観的に勉強できるはずだ。友達の視野が狭いと
20　思ったら、その友達に分かるように説明してあげよう。アメリカ人にはアメリカ人の物差しを使って説明してみよう。日本人には日本人に分かるように話すことができたのだから。インターナショナルとはこのようなことを意味するのではないか、とメアリーは思った。そして、日本の文化とアメリカの文化のどちらにいても快適で、スムーズに行ったり来たりできる ─ このよ
25　うな状態に一日も早くなりたいと思った。

■ 語彙
〔ご　い〕

しん 真	real
こくさいじん 国際人	internationally minded person

L. 10-2 (p. 178)

こっき 国旗	national flag
こっか い しき 国家意識	national consciousness
うす 薄い	weak
しろじ 白地	field of white
あか 赤	red
ひ　まる 日の丸	the Rising Sun
スポーツ	sport
し あい 試合	game
しきてん 式典	cermony
きょく 曲	melody
か し 歌詞	words, verse
めいかく 明確	clear
はつおん 発音	pronunciation
し かた 仕方（が）ない	it can't be helped (Also see L. 5-9)
せいじょうき 星条旗	the Stars and Stripes
こっか 国歌	national anthem
おおごえ 大声	loud voice
がっしょう 合唱	chorus
たいしょうてき 対照的	as different as night and day

しゅっぱつ 出発する	to depart (Also see L. 4-7)
マラソン	marathon
どうこうかい 同好会	club
ユニホーム	uniform
し てい 指定	designation
ようふくや 洋服屋	tailor
とうしんだい 等身大	life-size
かがみ 鏡	mirror
ま じゃく 巻き尺	tape measure
すんぽう 寸法	size
はか 測る	to measure
き ろく 記録する	to record
いちまんえん 壱万円	¥10,000
さっ 札	bill
まい 〜枚	suffix for counting thin /flat objects
に まんえん 弐万円	¥20,000
りょうしゅうしょ 領収書	receipt
しんさつ 新札	new bill
まぎ 紛らわしい	confusing
か へい 貨幣	currency
きんがく 金額	amount (of money)
いろ 色	color

おお 大きさ	size	き かん 期間	period
きゅうじょう 宮城	Imperial Palace	けんぽう 憲法	constitution
がいえん 外苑	outer garden	ないかく 内閣	cabinet
れんめい 連盟	league	じょげん 助言	advice
しゅさい 主催	sponsorship	しょうにん 承認	approval
たいかい 大会	track meet, meeting	けいしきてき 形式的	formal
てんのう 天皇	Emperor	ぎ れいてき 儀礼的	ceremonial
へいか 陛下	His (Her) Majesty	こくじ こうい 国事行為	national affair
こうごう 皇后	Empress	せいじ 政治	administration
す 住まい	residence	けんげん 権限	authority
とくがわばくふ 徳川幕府	Tokugawa Shougunate	そうり だいじん 総理大臣	Prime Minister
とうち 統治する	to reign	しゅしょう 首相	Premier
え ど じょう 江戸城	Edo Castle	つかさどる	to administer
かくめい 革命	revolution	イギリス	England
お 起こる	to happen	おうしつ 王室	Royal Family
しょうぐん 将軍	Shogun	やくしょく 役職	position
くんりん 君臨	reign	か 兼ねる	to hold two offices /positions
こうしつ 皇室	the Imperial Household		
うつ 移す	to move, to transfer		
せいど 制度	system	**L. 10-3 (p. 179)**	
しょうちょう 象徴	symbol	つつ 包む	to surround
ねんごう 年号	reignal designation of an era	ほり 堀	moat
		そ 沿う	to go along
しょうわ 昭和	Showa era	いっしゅう 一周	round circuit
そくい 即位	accession to the throne	たんきょり 短距離	short distance

スピード	speed
競う	to compete
矢印	arrow(sign)
迷う	to get lost
無用	no need
スタート	start
地点	location, point
桜田門	Sakurada Gate
選手	athlete
集まる	to gather
都心	center of the metropolis
空気	air
肺	lung
奥	deep inside
染み渡る	to permeate
深呼吸	deep breath
拡声器	loud-speaker
～間近	close at hand
注意事項	matters to be attended to
羽	feather
軽い	light
低い	short
群れ	group
酸素	oxygen

独り占めにする	to monopolize
敵	enemy, opponent
上り坂	uphill slope
吸う	to inhale
二酸化炭素	carbon dioxide
基本	basis
～に違いない	it must be the case that ...
左右	right and left
救護班	first-aid station
テント	tent
ゴール	goal
テープ	tape
切る	to cut
人垣	crowd
優勝する	to win the championship
前代未聞	unheard-of
大会新記録	record
表彰式	award presentation ceremony
～式	ceremony
紅白	red and white
幕	curtain
垂れる	to hang
賞状	certificate of merit

トロフィー	trophy
母校	Alma Mater
栄誉	laurels
校歌	school song
感極まる	to be moved
愛校精神	love for one's Alma Mater
旺盛	strong
納得	to be convinced
紀元前	B.C.

L. 10-4 (p. 180)

諸段階	various stages
独自	unique
創立	founding
〜周年	...th year
記念	anniversary
行事	event
録音	recording
制作	production
両面	both sides
後輩	junior
秩序	order
縦	vertical direction
処置	treatment
会則	rules

運営体系	management system
投票	vote
縮図	microcosm
幸いなことに	fortunately
根	nature
順応性	adaptability
富む	to be abundant
染まる	to be imbued
郷	country (Also see L.1-6)
貴重	precious
体験	experience
積む	to accumulate
知性	intelligence
快い	pleasing
詩	poem
小説	novel
文章	sentence
昨年	last year
俳句	Haiku
同人雑誌	(literary) coterie magazine
投稿	contribution
仲間	group, coterie
林	Hayashi (surname)
竹田	Takeda (surname)

季語 きご	seasonal term	乗換券 のりかえけん	transfer
創作 そうさく	creative work	不便 ふべん	inconvenient
仁義 じんぎ	rule, duty	常設 じょうせつ	regular, permanent
季節感 きせつかん	sense of season	地元 じもと	local
重複する ちょうふく	to duplicate	武士 ぶし	warrior
根本 こんぽん	fundamentals	刀 かたな	sword
風俗 ふうぞく	manners	かぶと	helmet
聖書 せいしょ	Bible	よろい	armor
知識 ちしき	knowledge	武具 ぶぐ	tools of warrior
宗教 しゅうきょう	religion	墓 はか	grave
文学 ぶんがく	literature	裏 うら	back
県庁 けんちょう	prefectural government	墓地 ぼち	cemetery
展示 てんじ	exhibition	花火 はなび	fire works
〜室 しつ	... room	直径 ちょっけい	diameter
郵便局 ゆうびんきょく	post office(Also see L.1-7)	ほとり	vicinity
本局 ほんきょく	main office	開催する かいさい	to hold
裁判所 さいばんしょ	court	妹 いもうと	younger sister
市役所 しやくしょ	city hall	出現 しゅつげん	appearance
警察署 けいさつしょ	police station	満足する まんぞく	to be satisfied
		子犬 こいぬ	puppy

L.10-5 (p.181)

		磁石 じしゃく	magnet
シティーセンター	city center	吸い寄せる すよ	to attract
一角 いっかく	corner	首輪 くびわ	collar
〜賃 ちん	expense for ... (Also see L.1-5)	捨て犬 すていぬ	stray dog
市内 しない	within the city	仮定する かてい	to hypothesize

餓死する	to starve to death	意志の疎通	communucation
捨てる	to abandon	手段	ways, method
残酷	cruel	面食らう	to be flurried
保健所	health office	居心地が良い	comfortable
処理する	to dispose of	酔う	to get drunk, to enjoy alcohol
苦しみ	pain		
権利	rights	アルコール	alcohol
血	blood	中毒	poisoning
凍る	to freeze	言い合い	argumet
コンパ	party (from "companion party")	本人	person in quetion
送別会	farewell party	許容力	permissive power
恩師	one's teacher	ストレス	stress
誘う	to invite	発散する	to release
カラオケ	pre-taped musical accompaniment	調和	harmony
		～を重んじる	to value highly
		個性	individual character

L. 10-6 (p. 182)

伴奏	accompaniment	回復	recovery
オーケストラ	orchestra	主張	assertion
空	empty	絶好の	golden, best possible
マイク	microphone	スポットライト	spotlight
舞台	stage	浴びる	to receive
スター	star	スター気分	feeling of being a celebrity
歌手	singer	浸る	to be immersed
雑談	by-talk	傾向	tendency
～に花を咲かせる	to engage in heated ...		

しんみ 親身になって	feeling warmly about (a person)		ゆう 憂うつ	gloomy, melancholic
せいしんか い 精神科医	psychiatrist		ほんしつ 本質	essence
ひとまえ 人前	in public		かいてき 快適	comfortable
うちき 内気	shy		てきおう 適応する	to adapt
あか 赤ちょうちん	inexpensive and casual bar		もと 元	beginning
ちょうちん	(paper) lantern		しゃ 視野	perspective
の や 飲み屋	inexpensive bar		はっそうほう 発想法	way of thinking
だめ	no good		きゃっかんてき 客観的	objective
きっさ てん 喫茶店	coffee house		ものさ 物差し	ruler
アドバイス	advice		インターナショナル	international
あ 空ける	to empty		スムーズ	smooth

<練習で使われている語句>

そうま とう 走馬灯	revolving lantern		しく 仕組み	arrangement, organization
う 浮かぶ	to float, to surface		ないよう 内容	contents
てきせつ 適切	appropriate, proper		しゃこう 社交	social life
ひょうか 評価	evaluation		そな 備える	to possess, to be endowed with
まな 学ぶ	to learn			
そくざ 即座	immediately			
かんじょうてき 感情的	emotional			
はんのう 反応する	to respond			
わたる	to last, to span			

L. 10-7 (p. 183)

あらわ 現れる	to appear
はいけい 背景	background
かいじょう 会場	location

■ 新出漢字

1	旗	4	(方)	はた	flag	21	盟	6	(皿)	メイ	to pledge
2	丸	6	(ヽ)	まる	circle pills	22	陛	6	(阝)	ヘイ	steps (of the throne)
3	祝	5	(ネ)	シュク いわ (う)	to celebrate	23	后	6	(口)	コウ, ゴウ	empress
4	典	4	(ハ)	テン	ceremony	24	幕	6	(艹)	バク まく	curtain
5	曲	3	(日)	キョク	melody	25	城	6	(土)	ジョウ	castle
6	詞	6	(言)	シ	words	26	革	6	(革)	カク	to reform
7	唱	4	(口)	ショウ	to chant	27	臨	6	(臣)	リン	to face
8	照	4	(灬)	ショウ	to shine	28	移	5	(禾)	うつ (す)	to move
9	発	3	(癶)	ハツ, パツ	to expose	29	昭	3	(日)	ショウ	bright
10	鏡	4	(金)	かがみ	mirror	30	憲	6	(宀)	ケン	law
11	巻	6	(己)	ま (く)	to roll	31	閣	6	(門)	カク	goverment office
12	寸	6	(寸)	スン	measure	32	承	5	(了)	ショウ	to hear
13	測	5	(氵)	はか (る)	to measure	33	臣	4	(臣)	シン, ジン	retainer
14	記	2	(言)	キ	chronicle	34	兼	6	(丷)	か (ねる)	to serve in serveral capacities
15	録	4	(金)	ロク	to write down	35	包	4	(勹)	つつ (む)	to wrap
16	壱	6	(土)	イチ	one (used in writing checks & legal documents)	36	沿	6	(氵)	そ (う)	to go (be) along
17	枚	6	(木)	マイ	suffix for counting thin or flat things	37	矢	6	(矢)	や	arrow
18	弐	6	(弋)	ニ	two (used in legal documents)	38	肺	6	(月)	ハイ	lung
19	貨	4	(貝)	カ	treasure	39	染	6	(木)	し (みる) そ (まる)	to permeate to be imbued
20	皇	6	(白)	コウ, オウ	emperor	40	拡	6	(扌)	カク	to spread

41	羽	6	(羽)	はね	feather	61	縦	6	(糸)	たて	vertical
42	低	4	(イ)	ひく (い)	short	62	処	6	(夂)	ショ	to deal with
43	群	5	(羊)	む (れ)	group	63	系	6	(糸)	ケイ	system
44	酸	5	(酉)	サン	acid	64	票	4	(西)	ヒョウ	vote
45	敵	5	(夂)	テキ	enemy	65	縮	6	(糸)	シュク	to contract
46	坂	3	(土)	さか	slope	66	根	3	(木)	ね	root
47	基	5	(土)	キ もと	foundation	67	郷	6	(阝)	ゴウ, キョウ	one's native place
48	救	4	(夂)	キュウ	to rescue	68	貴	6	(貝)	キ	precious
49	班	6	(王)	ハン	squad	69	詩	3	(言)	シ	poetry
50	未	5	(木)	ミ	un-	70	章	3	(立)	ショウ	chapter
51	紅	6	(糸)	コウ	crimson	71	昨	4	(日)	サク	last
52	垂	6	(ノ)	た (れる)	to hang	72	俳	6	(イ)	ハイ	humor, play
53	賞	4	(貝)	ショウ	prize	73	竹	2	(竹)	たけ	bamboo
54	栄	4	(ツ)	エイ	honor	74	仁	6	(イ)	ジン	perfect virtue
55	納	6	(糸)	ナッ	to put back	75	俗	6	(イ)	ゾク	customs
56	紀	4	(糸)	キ	history	76	聖	6	(王)	セイ	saint
57	諸	6	(言)	ショ	many	77	宗	6	(宀)	シュウ	origin
58	階	3	(阝)	カイ	steps	78	庁	6	(广)	チョウ	government office
59	創	6	(リ)	ソウ	origin	79	郵	6	(阝)	ユウ	post town
60	序	5	(广)	ジョ	preface	80	裁	6	(衣)	サイ	to judge

81	署	6	(罒)	ショ	station
82	賃	6	(貝)	チン	rent fare
83	武	5	(止)	ブ	military
84	刀	2	(刀)	かたな	sword
85	墓	5	(艹)	ボ はか	grave
86	径	6	(彳)	ケイ	diameter
87	妹	2	(女)	いもうと	younger sister
88	磁	6	(石)	ジ	magnet
89	輪	4	(車)	ワ	ring
90	仮	5	(イ)	カ	temporary
91	恩	5	(心)	オン	favor
92	師	5	(巾)	シ	teacher
93	奏	6	(大)	ソウ	to play (music)

■ 練習

一、次の言葉を、日本語で説明しなさい。

1．国旗	18．つかさどる	35．投票
2．試合	19．堀〈ほり〉	36．仲間
3．発音	20．迷う	37．風俗
4．対照的	21．選手	38．不可欠
5．測る	22．集まる	39．本局 (↔)
6．記録	23．軽い (↔)	40．満足 (↔)
7．領収書 (↔)	24．低い (↔)	41．権利 (↔)
8．紛〈まぎ〉らわしい	25．独〈ひと〉り占め	42．伴奏〈ばんそう〉
9．主催〈しゅさい〉	26．敵	43．手段
10．天皇 (↔)	27．上り (↔)	44．居心地
11．起こる	28．吸〈す〉う (↔)	45．中毒
12．移す	29．記念	46．調和 (↔)
13．制度	30．行事	47．主張
14．年号	31．録音	48．だめ
15．憲法	32．先輩〈せんぱい〉	49．適応
16．形式的	33．秩序〈ちつじょ〉	50．客観的 (↔)
17．政治	34．縦 (↔)	

二、次の例にならって、短文を作りなさい。

1. $\left\{\begin{array}{l}\sim する（の）\\ \sim\end{array}\right\}$ には $\left\{\begin{array}{l}\cdots する の\\ \cdots\end{array}\right\}$ が一番　　(p.178, ℓ.8)

・かぜには，卵酒が一番ですよ。

・英語を上達させるには，アメリカ人の友達を作るのが一番です。

・やせるには，食べないのが一番ですが，食べないと仕事に集中できません。

2．〜される　（受身形：p.178, ℓ.8）

・お酒を勧められた時，ことわるのは難しい。

・今日は雨に降られて，本当に困りました。

・ジョンは旅行中何度も日本人に英語で話しかけられた。

3．〜させられる　（使役の受身形：p.178, ℓ.9）

・家庭滞在（たいざい）をしているアメリカ人学生の中には，英語を教えたくないのに教えさせられている学生がいるそうです。

・遊びたいのに勉強させられている子供は，かわいそうですね。

・その男の子は，嫌（きら）いなニンジンを食べさせられて泣いていた。

・二日続けて宿題を忘れた一男（かずお）は，校庭を十周走らされた。

4．〜によると　（p.178, ℓ.12）

・テレビの天気予報によると，今日の午後から雪が降るそうだ。

・ブラウンさんの話によると，アメリカではサンクスギビングやクリスマスなどの祝日には，七面鳥を食べて祝うそうだ。

・うわさによると，あの女優はまた結婚（けっこん）するらしい。

5．〜の目からすれば　（p.178, ℓ.12）

・このアパートは，アメリカ人の目からすれば小さいかも知れませんが，日本人の私にはとても大きいんですよ。

・アメリカで日本的と思われていても，日本人の目からすれば日本的でも何でもないものがたくさんある。

・これはあなたの目からすればつまらないでしょうが，私にはとてもおもしろいんです。

6．$\left\{ \begin{array}{l} 〜できない \\ 〜しない \end{array} \right\}$ こともない　（p.178, ℓ.26）

・コンピューターを家で使う可能性を考えないこともないのですが，投資するだけの価値があるかどうか判断できないのです。

・あと少し時間があれば，このプロジェクトは終わらないこともない。

・あの人は歌を歌えないこともないんですが，カラオケで歌うのが嫌いなんです。

7．処置なし　　　（p.180, ℓ.7）

・貯金もしないで海外旅行をしたいなんて，処置なしだ。少しはお金をためなさい。

・日本語も知らないで日本に行くなんて，処置なしだ。英語だけで済ますのは，失礼だと思いませんか。

・自分だけが夕食に招待されているのに，ボーイフレンドを勝手に連れて行くなんて処置なしですよ。もうこれからは招いてもらえませんよ。

8．〜には・・・が不可欠だ　　　（p.180, ℓ.21）

・アメリカ人の生活には，車が不可欠です。

・外国語学習には，テープが不可欠です。毎週ラボへ行って，テープをよく聞いて，練習して下さい。

・能率よく仕事するためには，有能な秘書が不可欠です。

9．{ 〜する / 〜した } かいがある　　　（p.181, ℓ.12）

・日本に着いた時空港内の看板やサインが読めたので，スミスさんはアメリカで日本語を勉強してきたかいがあったと思ったそうです。

・後から甘いお菓子をそんなに食べるのでは，運動するかいがありませんよ。

・日本人は余程自信がないと，習った外国語を使おうとしない。これでは習ったかいがない。

10．〜する傾向が強い　　　（p.182, ℓ.14）

・アメリカではカップルを重視する傾向が強いが，日本では仲間やグループを重視する傾向が強い。

・化粧品は，外国製の物が尊重される傾向が強いのは，どこの国でも同じです。

・山村さんは悲観的で，物事を悪く解釈する傾向が強い。

三、政治の仕組み

議会政治

三権の分立

　　立法権 — 国会／国の法律を作る。

　　行政権 — 内閣／法律に基づいて実際の政治を行う。

　　司法権 — 裁判所／憲法や法律がよく守られているかどうか見守る。

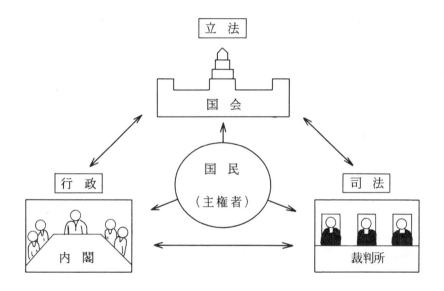

Ⅰ. 国　会

　　国権の最高機関 ｛ 衆議院
　　　　　　　　　　 参議院

Ⅱ. 内　閣

　　一府十二省－総理府／法務省／外務省／大蔵省／文部省／厚生省／農林水産省／通商

　　産業省／運輸省／郵政省／労働省／建設省／自治省／

Ⅲ. 裁判所

　　けいじ
　　｛ 刑事裁判
　　　 民事裁判

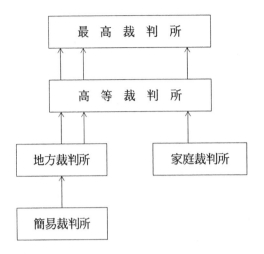

四、アメリカの政治の仕組みについて簡単に説明しなさい。

五、アメリカでは，どんな時国歌を歌いますか。

また，国歌の内容を少し説明しなさい。

六、星条旗の意味を説明しなさい。

七、一万円，二万円と書かずに壱万円，弐万円と書くのはなぜだと思いますか。

（壱弐参四伍六七八九拾百阡万）

八、日本人は，捨て犬を保健所に持って行くのより、どこかに捨てる方を好みます。なぜだと思いますか。

九、アメリカと日本の社交の場で，酒が果たしている役割を考えなさい。

十、日本人はなぜカラオケが好きですか。

十一、日本では精神科医はあまり必要とされていません。なぜでしょうか。

十二、外国を旅行したり留学したりした経験がありますか。アメリカに帰った時，どのような感じがしましたか。外国での経験を友達に説明する時，どんな問題がありましたか。

十三、あなたの考える国際人とは，どんな条件を備えた人ですか。

十四、英語で季節感を出す時，どんな表現を使うか考えなさい。

    1．春

    2．夏

    3．秋

    4．冬

十五、次の部首について名前と意味を勉強し，その部首の使われている漢字を挙げなさい。

| 1 | 2 | 3 | 4 | 5 | 6 | 7 | 8 | 9 | 10 |

■ GRAMMAR INDEX
（文法事項／慣用表現）

L. 1

1. $\left\{\begin{array}{l}\sim したら \\ \sim した時\end{array}\right\}$ たまたま

2. ～したり・・・したりする

3. $\left\{\begin{array}{l}\sim する \\ \sim\end{array}\right\}$ という条件で・・・する

4. $\left\{\begin{array}{l}\sim すること \\ \sim\end{array}\right\}$ にする

5. ～してしまう

6. 驚いたことに

7. （～は）・・・するものだ

8. ～しても・・・してもいい

9. ～しなくてはいけない

10. ～するようにする

L. 2

1. ～するように心掛けている

2. ～と，・・・（S₁ とS₂）

3. ～らしい

4. ～するや否や・・・

5. $\left\{\begin{array}{l}疑問詞 \\ (Interrogatives)\end{array}\right\}$ ＋～ $\left\{\begin{array}{l}おう \\ よう\end{array}\right\}$ と，こちらの勝手だ

6. ～のような感じがする

7. ～とつくづく感じる

L. 3

1. ～したくてうずうずしている

2. ～でもなければ・・・でもない

3. ～したばかりだ

4. ～しなくなる

5. ～するようになる

6. ～までに

7. $\left\{\begin{array}{l}\sim を \\ \sim して\end{array}\right\}$ $\left\{\begin{array}{l}差し上げる \\ 上げる \\ やる\end{array}\right\}$

8. $\left\{\begin{array}{l}\sim を \\ \sim して\end{array}\right\}$ $\left\{\begin{array}{l}頂く \\ もらう\end{array}\right\}$

9. $\left\{\begin{array}{l}\sim を \\ \sim して\end{array}\right\}$ $\left\{\begin{array}{l}下さる \\ くれる\end{array}\right\}$

10. ～させて $\left\{\begin{array}{l}頂く \\ 下さい\end{array}\right\}$

8. ～そうだ

9. ～したら

10. $\left\{\begin{array}{l}\sim が \\ \sim に・・・して\end{array}\right\}$ ほしい

L. 4

1. ～と思って $\left\{\begin{array}{l}いる \\ いた\end{array}\right\}$

2. ～は・・・を $\left\{\begin{array}{l}目のかたき \\ 売り物\end{array}\right\}$ にしている

3. $\left.\begin{array}{l} いつ \\ いくら \\ 何度 \\ \cdots\cdots\end{array}\right\}$ 〜しても

4. 〜して初めて・・・する

5. 〜という理由で・・・する

6. 〜する方が・・・するより ——

7. 〜だからさぞ・・・だろう

8. 〜を夢見て・・・する

9. 〜することがある

10. 〜は・・・に限る

L. 5

1. 〜しながら・・・する

2. 〜し次第・・・する

3. 原則として

4. 一人で

5. 〜を・・・に任せる

6. 〜によって・・・する

7. 〜はいかが

8. 〜するのがおちだ

9. 〜という頭があるから・・・ $\left\{\begin{array}{l} する \\ しない \end{array}\right\}$

10. 〜より・・・の方が ——

L. 6

1. 〜にかかわらず

2. 〜とは限らない

3. 〜は・・・次第

4. 自由に〜する

5. 〜したらおしまい

6. 〜するはめにおちいる

7. 〜も・・・もない

8. 〜は・・・によって成り立っている

9. $\left.\begin{array}{l} 〜する \\ 〜 \end{array}\right\}$ を恐れて・・・ $\left\{\begin{array}{l} する \\ しない \end{array}\right\}$

10. 〜しそうにない

L. 7

1. 〜するものいいし，〜するのもいい

2. 〜には頭が下がる

3. 〜。これでは・・・ $\left\{\begin{array}{l} する \\ しない \end{array}\right\}$ わけがない

4. 〜するはずだ

5. 〜するつもりだ

6. $\left\{\begin{array}{l} 〜しているばかりだ \\ 〜してばかりいる \\ 〜ばかりしている \end{array}\right.$

7. 〜ばかりに・・・ $\left\{\begin{array}{l} する \\ しない \\ できない \end{array}\right\}$

8. 〜といえども・・・するのが当然だ

9. 〜しないてはない

10. 〜しなくてはうそだ

L. 8

1. 〜も｛なしに / しないで｝・・・する

2. 〜といえば

3. ｛こんな〜では / こんなに〜ては｝・・・したくても ・・・できない

4. ｛〜する / 〜｝には・・・過ぎる

5. 〜したことがある

6. ｛〜する / 〜の｝ためには・・・も辞さない

7. 正直言って

8. 〜するべきだ

9. 〜はざらに｛いる / ある｝

10. 〜しないでいることができない

L. 9

1. 〜以来・・・している

2. 〜したつもりだ

3. 〜しておく

4. 〜して｛いる / いた｝程・・・ない

5. 〜を基に・・・する

6. 〜をモットーに・・・する

7. 〜がだめ｛なら / でも｝・・・がある

8. 〜なのは・・・だからだ

9. ｛〜する / 〜という｝声が高まっている

10. 今も昔も

L. 10

1. ｛〜する（の）/ 〜｝には｛〜するの / 〜｝が一番だ

2. 〜される

3. 〜させられる

4. 〜によると

5. 〜の目からすれば

6. ｛〜できない / 〜しない｝こともない

7. 処置なし

8. 〜には・・・が不可欠だ

9. ｛〜する / 〜した｝かいがある

10. 〜する傾向が強い

■ KANJI LIST

第一学年で導入される漢字

一	右	雨	円	王	音	下	火	花	学	気	九	休	金	空	月	犬	見	五	口
校	左	三	山	子	四	糸	字	耳	七	車	手	十	出	女	小	上	森	人	水
正	生	青	夕	石	赤	千	川	先	早	足	村	大	男	中	虫	町	天	田	土
二	日	入	年	白	八	百	文	木	本	名	目	立	力	林	六				

（７６字)

Kanji List

■ 第一学年で導入される漢字

1	一	1	(一)	イチ ひと (つ)	one	21	校	1	(木)	コウ	school
2	右	1	(ナ)	ウ みぎ	right	22	左	1	(ナ)	サ ひだり	left
3	雨	1	(雨)	ウ あめ	rain	23	三	1	(一)	サン みっ (つ)	three
4	円	1	(冂)	エン	yen	24	山	1	(山)	サン やま	mountain
5	王	1	(王)	オウ	king	25	子	1	(子)	シ こ	child
6	音	1	(音)	オン, イン おと	sound	26	四	1	(囗)	シ よん, よっ(つ)	four
7	下	1	(一)	カ した	under	27	糸	1	(糸)	シ いと	thread
8	火	1	(火)	カ ひ	fire	28	字	1	(宀)	ジ	letter
9	花	1	(艹)	カ はな	flower	29	耳	1	(耳)	ジ みみ	ear
10	学	1	(ツ)	ガク まな (ぶ)	to learn	30	七	1	(一)	シチ なな	seven
11	気	1	(気)	キ	spirit	31	車	1	(車)	シャ くるま	vehicle
12	九	1	(ノ)	キュウ ここの (つ)	nine	32	手	1	(手)	シュ て	hand
13	休	1	(イ)	キュウ やす (む)	to rest	33	十	1	(十)	ジュウ とお	ten
14	金	1	(金)	キン かね	gold money	34	出	1	(凵)	シュツ で (る), だ (す)	to leave
15	空	1	(宀)	クウ そら	sky	35	女	1	(女)	ジョ おんな	woman
16	月	1	(月)	ゲツ, ガツ つき	month moon	36	小	1	(小)	ショウ ちい (さい)	little
17	犬	1	(犬)	ケン いぬ	dog	37	上	1	(一)	ジョウ うえ	above
18	見	1	(見)	ケン み (る)	to see	38	森	1	(木)	シン もり	forest
19	五	1	(一)	ゴ いつ (つ)	five	39	人	1	(人)	ジン ひと	person people
20	口	1	(口)	コウ くち	mouth	40	水	1	(水)	スイ みず	water

41	正	1	(一)	セイ ただ（しい）	correct	61	二	1	(一)	ニ ふた（つ）	two
42	生	1	(生)	セイ い（きる）	to live	62	日	1	(日)	ニチ, ジツ ひ, か	sun day
43	青	1	(青)	セイ あお	blue	63	入	1	(入)	ニュウ はい（る） い（れる）	to enter
44	夕	1	(夕)	セキ ゆう（べ）	evening	64	年	1	(ノ)	ネン とし	year
45	石	1	(石)	セキ いし	stone	65	白	1	(白)	ハク しろ	white
46	赤	1	(赤)	セキ あか	red	66	八	1	(八)	ハチ やっ（つ）	eight
47	千	1	(十)	セン	thousand	67	百	1	(一)	ヒャク	hundred
48	川	1	(川)	セン かわ	river	68	文	1	(文)	ブン	sentence
49	先	1	(儿)	セン さき	previous	69	木	1	(木)	モク き	tree
50	早	1	(日)	ソウ はや（い）	early	70	本	1	(木)	ホン	book
51	足	1	(足)	ソク あし	leg	71	名	1	(夕)	メイ な	name
52	村	1	(木)	ソン むら	village	72	目	1	(目)	モク め	eye
53	大	1	(大)	ダイ おお（きい）	big	73	立	1	(立)	リツ た（つ）	to stand
54	男	1	(田)	ダン おとこ	man	74	力	1	(力)	リキ ちから	power
55	中	1	(中)	チュウ なか	middle inside	75	林	1	(木)	リン はやし	woods
56	虫	1	(虫)	チュウ むし	insect	76	六	1	(亠)	ロク	six
57	町	1	(田)	チョウ まち	town						
58	天	1	(一)	テン	heaven sky						
59	田	1	(田)	デン た	rice field						
60	土	1	(土)	ド つち	soil earth						

第二学年で導入される漢字

引	雲	遠	何	科	夏	家	歌	画	回	会	海	絵	貝	外	間	顔	汽	記	帰
6	7	2	1	6	6	1	2	4	3	1	3	1	7	1	1	2	4	10	1
牛	魚	京	教	強	玉	近	形	計	元	原	戸	古	午	後	語	工	広	交	光
3	4	1	1	1	4	2	3	5	1	3	5	4	3	1	1	4	1	3	8
行	考	高	黄	合	谷	国	黒	今	才	作	算	止	市	思	紙	寺	自	時	室
1	1	2	7	5	9	1	1	1	8	2	9	9	9	1	1	7	3	1	3
社	弱	首	秋	春	書	少	場	色	食	心	新	親	図	数	西	声	星	晴	切
3	6	3	7	7	1	1	2	4	1	2	1	2	6	1	4	8	7	9	2
雪	船	前	組	走	草	多	太	体	台	池	地	知	竹	茶	昼	長	鳥	朝	通
4	3	1	6	8	7	1	3	1	5	7	2	1	10	4	4	3	7	2	2
弟	店	点	電	冬	刀	当	東	答	頭	同	道	読	南	馬	買	売	麦	半	番
9	5	2	1	1	10	3	1	2	2	2	1	1	7	2	1	4	8	1	1
父	風	分	聞	米	歩	母	方	北	毎	妹	明	鳴	毛	門	夜	野	友	用	曜
4	4	1	1	4	2	4	1	7	4	10	1	7	6	6	5	4	1	3	4
来	楽	里	理	話															
1	4	4	3	1															

（145字）

第三学年で導入される漢字

悪	安	暗	医	意	育	員	院	飲	運	泳	駅	園	横	屋	温	化	荷	界	開
5	2	2	7	1	3	3	9	2	7	7	2	9	7	4	7	4	4	6	1
階	角	活	寒	感	館	岸	岩	起	期	客	究	急	級	宮	球	去	橋	業	曲
10	8	4	3	1	9	7	7	5	1	4	3	7	9	8	7	9	2	3	10
局	銀	苦	具	君	兄	係	軽	血	決	県	研	言	庫	湖	公	向	幸	港	号
5	4	2	5	1	9	3	2	8	4	9	3	1	5	7	3	2	4	4	7
根	祭	細	仕	死	使	始	指	歯	詩	次	事	持	式	実	写	者	主	守	取
10	1	3	5	6	1	1	5	7	10	2	1	2	4	3	4	1	1	4	1
酒	受	州	拾	終	習	週	集	住	重	所	暑	助	昭	消	商	章	勝	乗	植
2	2	6	7	2	3	5	4	3	5	2	8	4	10	6	7	10	2	2	9
申	身	神	深	進	世	整	線	全	送	息	族	他	打	対	待	代	第	題	炭
3	3	4	5	6	1	7	8	2	1	4	1	8	5	3	2	1	5	3	6
短	着	注	柱	帳	調	直	追	丁	定	庭	鉄	転	都	度	投	島	湯	登	等
5	1	1	6	6	2	2	5	2	3	1	2	6	8	2	8	9	2	7	9
動	童	内	肉	農	波	配	畑	発	反	坂	板	皮	悲	美	鼻	氷	表	秒	病
4	8	1	5	8	7	1	9	10	2	10	8	8	4	6	2	7	1	8	7
品	負	部	服	福	物	平	返	勉	放	万	味	命	面	問	役	薬	由	油	有
5	7	1	5	7	2	5	1	1	6	8	2	5	4	2	5	9	4	6	3
遊	予	洋	葉	陽	様	落	流	旅	両	緑	礼	列	路	和					
7	3	4	2	5	3	2	7	9	9	7	1	9	9	4					

（１９５字）

Kanji List

第四学年で導入される漢字

愛	案	衣	以	囲	位	委	胃	印	英	栄	塩	央	億	加	貨	課	芽	改	械
4	9	5	2	7	7	5	9	6	1	10	9	9	6	5	10	1	9	4	5
害	各	覚	完	官	漢	管	関	観	願	希	季	紀	喜	旗	器	機	議	求	救
2	6	3	8	8	1	6	3	3	3	9	7	10	3	10	5	3	3	1	10
給	挙	漁	共	協	鏡	競	極	区	軍	郡	型	景	芸	欠	結	建	健	験	固
6	5	9	8	6	10	7	6	9	8	9	4	8	4	5	3	3	5	6	8
功	候	航	康	告	差	菜	最	材	昨	刷	殺	察	参	散	産	残	士	氏	史
6	5	9	5	1	7	4	3	6	10	8	9	2	2	8	6	3	7	8	7
司	姉	試	辞	失	借	種	周	宿	順	初	省	唱	照	賞	焼	臣	信	真	成
3	9	2	5	1	1	8	7	9	4	1	3	10	10	10	4	10	6	4	4
清	勢	静	席	積	折	節	説	浅	戦	選	然	争	相	倉	想	象	速	側	続
9	6	4	3	6	8	8	9	2	8	5	4	7	2	8	9	6	8	9	4
卒	孫	帯	隊	達	単	談	治	置	貯	腸	低	底	停	的	典	伝	徒	努	灯
6	8	7	8	1	5	5	9	4	6	9	10	3	2	2	10	3	1	3	9
堂	働	毒	熱	念	敗	倍	博	飯	飛	費	必	筆	票	標	不	夫	付	府	副
4	4	7	2	4	7	9	8	3	9	5	2	7	10	9	3	6	4	6	5
粉	兵	別	辺	変	便	包	法	望	牧	末	満	脈	民	約	勇	要	養	浴	利
8	8	2	7	1	2	10	6	9	9	6	8	9	2	6	9	2	6	4	2
陸	良	料	量	輪	類	令	冷	例	歴	連	練	老	労	録					
8	3	4	6	10	8	7	5	4	7	4	7	8	3	10					

（１９５字）

第五学年で導入される漢字

圧	易	移	因	永	営	衛	益	液	演	往	応	恩	仮	果	河	過	価	賀	快
6	6	10	8	5	6	9	8	5	4	8	3	10	10	9	9	5	8	1	8
解	格	確	額	刊	幹	慣	歓	眼	基	寄	規	技	義	逆	久	旧	居	許	境
2	9	4	6	5	7	4	8	6	10	5	8	4	9	6	5	6	2	7	9
興	均	禁	句	訓	群	経	潔	件	券	険	検	絹	限	現	減	故	個	護	効
4	9	9	3	7	10	5	9	9	9	5	7	8	4	6	5	3	2	9	9
厚	耕	構	講	鉱	混	査	再	災	妻	採	際	在	財	罪	雑	蚕	酸	賛	支
6	9	3	6	6	4	6	9	9	5	9	1	4	5	5	5	8	10	7	5
示	志	師	資	似	児	識	質	舎	謝	授	収	修	衆	祝	述	術	準	序	除
8	6	10	5	9	6	5	2	7	3	3	5	5	3	10	8	4	5	10	5
招	承	称	証	条	状	常	情	織	職	制	性	政	精	製	税	責	績	接	設
8	10	3	8	9	1	2	5	7	5	6	3	6	3	6	8	7	6	3	3
舌	絶	銭	善	祖	素	総	造	像	増	則	測	属	損	退	貸	態	団	断	築
7	6	2	8	5	9	6	4	6	2	5	10	7	8	5	9	4	9	3	4
張	提	程	敵	適	統	銅	導	特	得	徳	独	任	燃	能	破	犯	判	版	比
7	8	2	10	6	4	6	7	2	4	6	7	1	5	4	8	9	3	9	7
非	肥	備	俵	評	貧	布	婦	富	武	復	複	仏	編	弁	保	墓	報	豊	防
2	8	5	9	8	7	5	4	7	10	7	8	1	9	5	5	10	9	7	9
貿	暴	未	務	無	迷	綿	輪	余	預	容	率	略	留	領					
6	8	10	6	3	8	6	6	5	5	7	7	3	2	5					

（１９５字）

第六学年で導入される漢字

異	遺	域	壱	宇	羽	映	延	沿	可	我	灰	街	革	拡	閣	割	株	干	巻
8	7	9	10	9	10	4	9	10	5	8	6	8	10	10	10	6	8	5	10
看	勧	簡	丸	危	机	揮	貴	疑	弓	吸	泣	供	胸	郷	勤	筋	糸	径	敬
9	2	5	10	9	4	9	10	8	9	8	5	5	8	10	2	7	10	10	3
警	劇	穴	兼	憲	権	源	厳	己	呼	誤	后	好	孝	皇	紅	降	鋼	刻	穀
2	4	9	10	10	6	5	7	9	2	2	10	2	7	10	10	8	6	8	8
骨	困	砂	座	済	裁	策	冊	至	私	姿	視	詞	誌	磁	射	捨	尺	釈	若
3	3	3	6	3	10	6	9	4	2	4	6	10	9	10	2	3	8	2	6
需	樹	宗	就	従	縦	縮	熟	純	処	署	諸	将	笑	傷	障	城	蒸	針	仁
6	7	10	6	7	10	10	8	7	10	10	10	7	2	9	7	10	8	9	10
垂	推	寸	是	聖	誠	宣	専	染	泉	洗	奏	窓	創	層	操	蔵	臓	俗	存
10	2	10	7	10	4	8	4	10	9	5	10	6	10	6	7	5	8	10	4
尊	宅	担	探	段	暖	値	仲	宙	忠	著	庁	兆	頂	潮	賃	痛	展	党	討
3	5	7	3	4	5	5	9	9	6	8	10	8	3	5	10	5	6	5	9
糖	届	難	弐	乳	認	納	脳	派	拝	肺	背	俳	班	晩	否	批	秘	腹	奮
3	3	2	10	3	4	10	6	4	4	10	7	10	10	3	2	9	3	8	8
陛	閉	片	補	宝	訪	亡	忘	棒	枚	幕	密	盟	模	矢	訳	郵	優	幼	羊
10	4	5	5	7	7	8	3	9	10	10	6	10	8	10	2	10	2	8	6
欲	翌	乱	卵	覧	裏	律	臨	朗	論										
2	8	4	8	8	7	6	10	9	3										

（190字）

Yoshiko Higurashi

B. A. in English, Waseda University, 1975
M. A. in Linguistics, University of Oregon, 1977
Ph. D. in Linguistics, University of Texas at Austin, 1982

Associate Professor (1983 — present)
Department of Classical and Oriental Languages and
    Literatures
San Diego State University
San Diego, California 92182
U. S. A.

CURRENT JAPANESE:

INTERCULTURAL COMMUNICATION

1987年12月25日　初版第 1 刷
1989年11月15日　初版第 3 刷

　　著　者　　日　暮　嘉　子

　　発　行　　株式会社 凡人社

　　　　〒 102　東京都千代田区麴町 6 － 2
　　　　　　　麴町ニュー弥彦ビル 2 階
　　　　　　　電話　03-472-2240